CW00408782

STORIE DELLA Buonanotte

A cura di Tig Thomas

Edizioni EL

Traduzione di Floriana Pagano

ISBN 978-88-477-3243-8

www.edizioniel.com

Illustrazioni di:

Natalia Moore (copertina)

Advocate Art: Andy Catling

Beehive Illustration: Rupert Van Wyk

The Bright Agency: Mark Beech, Peter Cottrill, Evelyne Duverne,

Masumi Furukawa, Tom Sperling

Elementi decorativi:

Alice Brisland (The Bright Agency), LenLis/Shutterstock.com,

kusuriuri/Shutterstock.com, Lana L/Shutterstock.com, Markovka/Shutterstock.com

La presente edizione è una selezione da *Storie della buonanotte*,

pubblicato nel 2010 da Edizioni EL

SOMMARIO

RAGAZZI ARDITI E RAGAZZE CORAGGIOSE

FIABE STRANE E FANTASTICHE

CAMMIN FACENDO

CHE ASSURDITÀ!

QUI CASCA L'ASINO

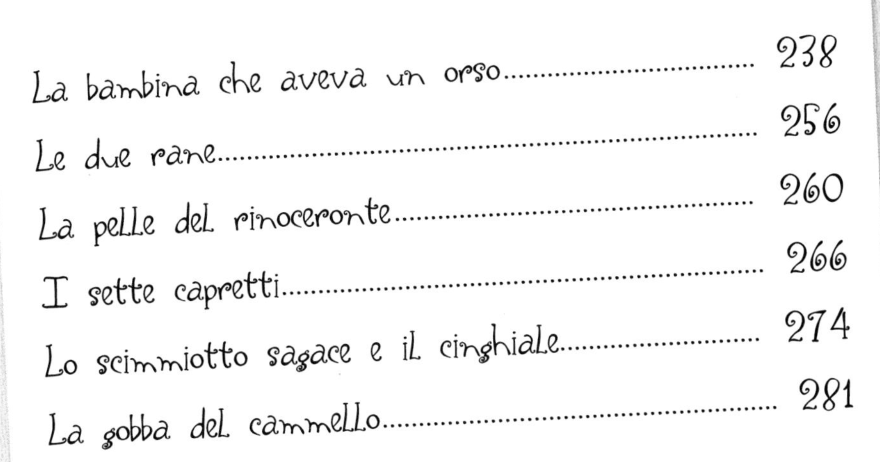

GLI AUTORI

Hans Christian Andersen
1805-1875

Nato in Danimarca, Andersen fece l'apprendista presso un tessitore e presso un sarto prima di lavorare come attore e cantante a Copenaghen. In questo periodo scrisse poesie e storie, e ottenne fama mondiale grazie alle sue fiabe per bambini, che sono state tradotte in piú di centocinquanta lingue e hanno ispirato film, spettacoli e balletti.

L. Frank Baum

1856-1919

Lyman Frank Baum nacque a New York, negli Stati Uniti. Baum detestava il suo primo nome e preferiva farsi chiamare Frank. Il suo piú grande successo fu *Il meraviglioso mago di Oz*. In seguito scrisse altri tredici libri sulla magica terra di Oz e molti altri racconti, poesie e opere teatrali.

Fratelli Grimm

Jacob Ludwig Karl Grimm 1785-1863
Wilhelm Karl Grimm 1786-1859

Nati nei pressi di Francoforte, in Germania, studiarono legge ma si appassionarono di linguistica. Raccolsero molte fiabe popolari della tradizione orale europea e le misero su carta.

Joseph Jacobs

1854-1916

Nato in Australia, da giovane Jacobs studiò in Inghilterra e in Germania e svolse ricerche sulla storia ebraica. Infine si stabilí negli Stati Uniti e curò cinque raccolte di fiabe.

Rudyard Kipling

1865-1936

Kipling nacque in India, ma visse in Inghilterra e divenne uno dei poeti e scrittori per ragazzi piú apprezzati della Gran Bretagna, con opere come *Storie proprio cosí* e *Il libro della giungla*.

Andrew Lang
1844-1912

Nato in Scozia, studiò a Oxford. Compí ricerche sul folclore, sulla mitologia e sulla religione e scrisse poesie e romanzi. Adattò dodici volumi di fiabe e storie popolari.

Yei Theodora Ozaki

?-1933

Nata da una famiglia aristocratica, sposò il sindaco di Tokyo nonché uomo influente nel campo della politica internazionale. Per tutta la vita coltivò la sua passione per la raccolta e la riscrittura di antiche storie popolari giapponesi.

Katharine Pyle

1863-1938

Nata in una famiglia quacchera molto unita e creativa, Katharine, come il fratello Howard, lavorò per tutta la vita come scrittrice e illustratrice.

Flora Annie Steel
1847-1929

Visse per ventidue anni in India dove si dedicò, fra l'altro, alla raccolta di storie del folclore locale.

Peter Christen Asbjørnsen
1812-1885

James Baldwin
1841-1925

Alexander Chodsko
1804-1891

George Webbe Dasent
1817-1896

Walter Gregor
1825-1897

Patrick Kennedy
1801-1873

Howard Pyle
1853-1911

Kate Douglas Wiggin
1856-1923

GLI ARTISTI

Mark Beech fin dalla piú tenera età è stato ispirato dai disegni di Edward Lear e Lewis Carroll, e lui stesso amava illustrare le fiabe. Nel 2001 ha deciso di intraprendere la carriera di illustratore e da allora ha lavorato in molti settori, anche se l'editoria per ragazzi è quello che preferisce.

La principessa altezzosa • *I tre idioti* • *Le due rane*

Andy Catling vive nello Hampshire e lavora come illustratore. Le tecniche che preferisce sono l'acquerello, la pittura a guazzo e l'inchiostro. È orgoglioso del suo caotico tavolo da lavoro, dei suoi numerosissimi pennelli e della sua vecchissima matita.

Bottiglie vuote • decorazioni delle sezioni

Peter Cottrill è ispirato dal senso dell'umorismo e dell'assurdo. Si diverte a inventare storie e ambientazioni. Oltre a illustrare libri, Peter insegna e pratica lo Shiatsu.

Un apprendista sveglio • *La fanciulla saggia* • *Il vento e il sole* • *Curiosità* • *Nasreddin Hodja e l'odore di minestra* • *Nasreddin Hodja e il pentolone* • *La gobba del cammello*

Evelyne Duverne è pittrice e illustratrice. Usa gli acrilici su carta, tela e cartone. I soggetti che piú le piace disegnare sono i personaggi delle fiabe, per cui trae ispirazione dalle storie e dalle leggende che ha letto da bambina.

Cappuccio di Giunco • *Cenciosella* • *Lo sposo della topina* • *Le due sorelle* • *Tikki Tikki Tembo*

Gli artisti

Masumi Furukawa vive a Tokyo, in Giappone, dove scrive e illustra libri per ragazzi. Dopo aver lavorato con svariati editori in tutto il mondo, è stata selezionata fra i partecipanti al concorso annuale per illustratori della Fiera del libro di Bologna (2009).

Il pesce e l'anello • La fortuna di Hans • La pagliuzza, il tizzone e il fagiolo • Lo scimmiotto sagace e il cinghiale

Natalia Moore è insegnante d'arte certificata e illustratrice freelance. L'artista lavora con materiali misti e aggiunge i ritocchi finali con strumenti digitali. Adora disegnare dal vivo e non esce mai di casa senza il suo album di schizzi.

Copertina

Tom Sperling ha studiato alla Art Student's League. Insignito per due volte del Paul Revere Award for Graphic Excellence, ha ricevuto anche lo Small Press Book Award per il miglior libro illustrato per giovani adulti.

Il Grosso, l'Alto e l'uomo dagli occhi di fuoco • Le tre zie • I sette capretti

Rupert Van Wyk disegna fin dalla piú tenera età. Le sue opere sono state pubblicate in Gran Bretagna, in Italia, negli Stati Uniti e in Corea del Sud. Vive e lavora tra Ravenna e Londra.

I quattro fratelli ingegnosi • Il guardiano dei porci • Il marito che doveva occuparsi della casa • Ser Gammer Vans • Jack il Pigro • La bambina che aveva un orso • La pelle del rinoceronte

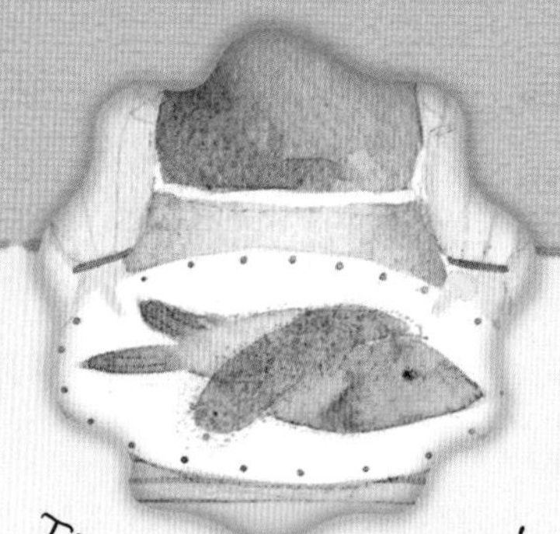

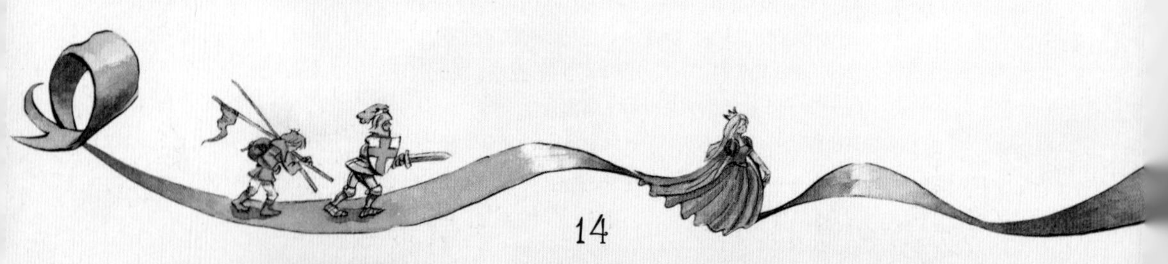

RAGAZZI ARDITI E RAGAZZE CORAGGIOSE

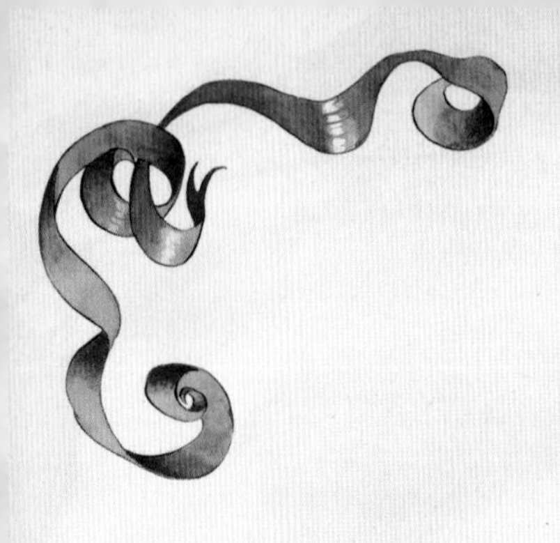

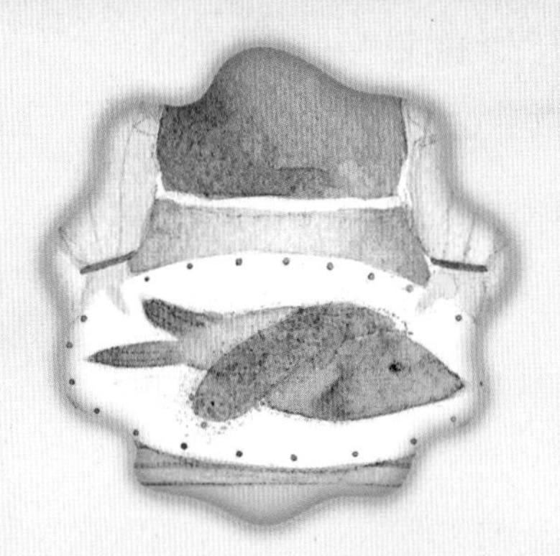

Il pesce e l'anello

di Flora Annie Steel

C'era una volta un barone che era anche un grande stregone, e grazie alle arti magiche e agli incantesimi sapeva dire cosa sarebbe successo in qualunque momento del futuro.

Questo gran signore aveva un figlioletto che avrebbe ereditato tutti i suoi castelli e le sue terre. Cosí quando il bambino aveva circa quattro anni, volendo scoprire quale sarebbe stata la sua sorte, il

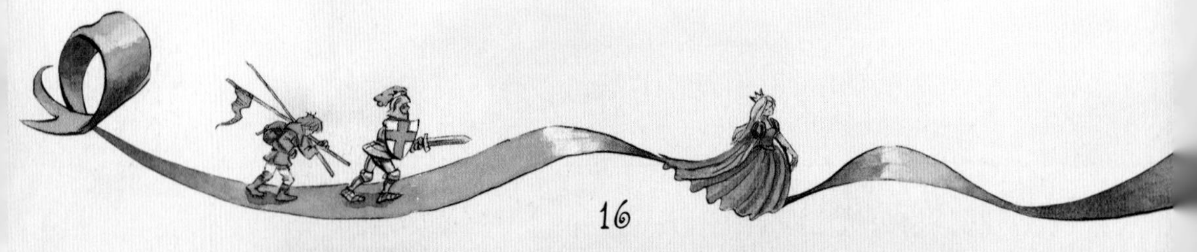

barone aprí il Libro del Fato per vedere che cosa vi fosse scritto.

Ed ecco che, per il suo amatissimo figlio, erede di tutte le terre e i grandi castelli del barone, il destino aveva in serbo un matrimonio con una fanciulla di origini modeste. Il barone, sbigottito, ricorse alle sue arti magiche e a nuovi incantesimi per scoprire se quella ragazza fosse già nata e, in tal caso, dove vivesse.

Cosí apprese che la bambina era appena venuta alla luce in una famiglia molto povera e che i suoi miseri genitori avevano già cinque figli di cui prendersi cura.

Allora il barone si fece portare un destriero e cavalcò a lungo, finché non giunse a casa del pover'uomo, che stava seduto sull'uscio con sguardo triste e afflitto.

– Che cosa ti turba, amico mio? – domandò il mago.

Il poveraccio rispose: – In questa casa, piaccia

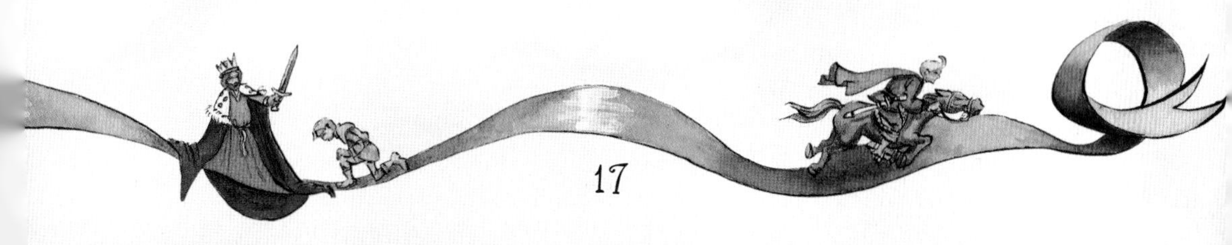

a vostra signoria, è appena nata una bambina, ma noi abbiamo già cinque figli e non sappiamo proprio dove trovare il pane per sfamare una sesta bocca.

– Se il tuo problema è solo questo, – ribatté prontamente il barone, – forse posso aiutarti, perciò fatti coraggio. Stavo proprio cercando una compagna di giochi per mio figlio, quindi, se a te sta bene, ti darò dieci corone in cambio della piccola.

L'uomo quasi saltò di gioia, perché lui avrebbe guadagnato molti soldi e sua figlia, ne era convinto, sarebbe cresciuta in una bella casa. Cosí, senza pensarci due volte, andò a prendere la bambina.

Il barone la avvolse nel mantello e si allontanò in sella al suo cavallo. Ma, quando giunse al fiume, gettò la piccolina tra i flutti tumultuosi e mentre galoppava verso il suo castello mormorò tra sé:
– Questo è il destino!

Il barone però si sbagliava di grosso, perché la bambina non annegò. La corrente era molto veloce, e il lungo mantello la tenne a galla finché non si impigliò a un ramo proprio sotto gli occhi di un pescatore che stava rammendando le sue reti.

Lui e la moglie non avevano figli e ne desideravano ardentemente uno, cosí quando il buon uomo vide la neonata provò una grande gioia

e la portò a casa dalla sua sposa, che la accolse a braccia aperte.

Qui la bambina, la luce dei loro occhi, crebbe e diventò la fanciulla piú bella che si fosse mai vista.

Quando compí quindici anni, il barone, che era andato con i suoi amici a caccia lungo le sponde del fiume, si fermò a bere un sorso d'acqua a casa del pescatore.

A portargli da bere fu proprio quella che tutti pensavano fosse sua figlia.

I piú giovani del gruppo notarono la sua bellezza e uno di loro disse al barone: – Questa ragazza troverà sicuramente un buon partito. Dal momento che siete esperto in quest'arte, perché non ci rivelate quale sarà il suo futuro?

Allora il barone, degnandola solo di un'occhiata, disse distratto: – Il suo futuro posso immaginarlo! È con qualche bifolco disgraziato. Ma per darvi soddisfazione le farò l'oroscopo. Di' un po', ragazza, in che giorno sei nata?

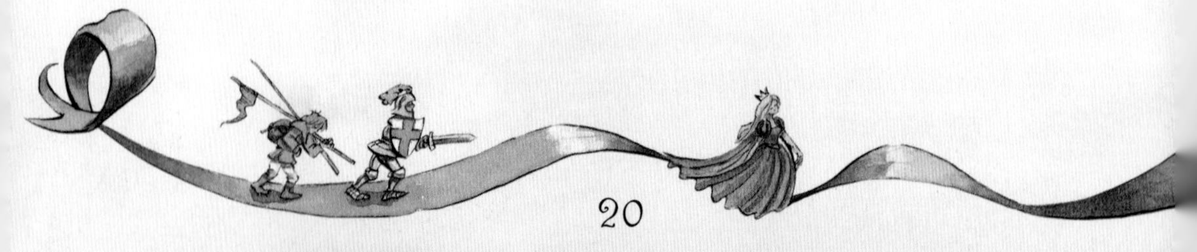

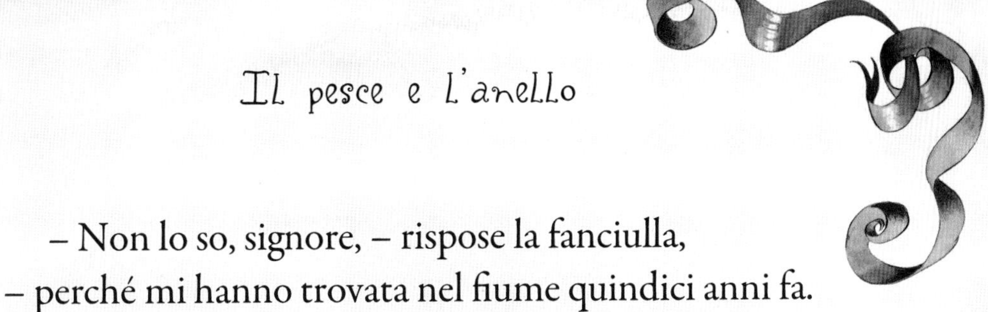

– Non lo so, signore, – rispose la fanciulla, – perché mi hanno trovata nel fiume quindici anni fa.

A sentire quelle parole, il barone impallidí. Aveva infatti capito che si trattava della bambina che aveva gettato tra i flutti e che il destino era stato piú forte di lui. Ma, almeno per il momento, preferí tenere la scoperta per sé.

Nei giorni seguenti, però, escogitò un piano e tornò alla casa del pescatore per recapitare una lettera alla fanciulla.

– Salve! – disse. – Grazie a me farai fortuna. Porta questa lettera a mio fratello, che ha bisogno di una brava ragazza, e sarai sistemata per sempre.

Il pescatore e la moglie stavano diventando vecchi e avevano bisogno di aiuto, perciò la giovane disse che sarebbe andata e accettò la lettera.

Il barone invece se ne tornò al castello mormorando ancora una volta tra sé: – Questo è il destino!

Perché nella lettera aveva scritto:

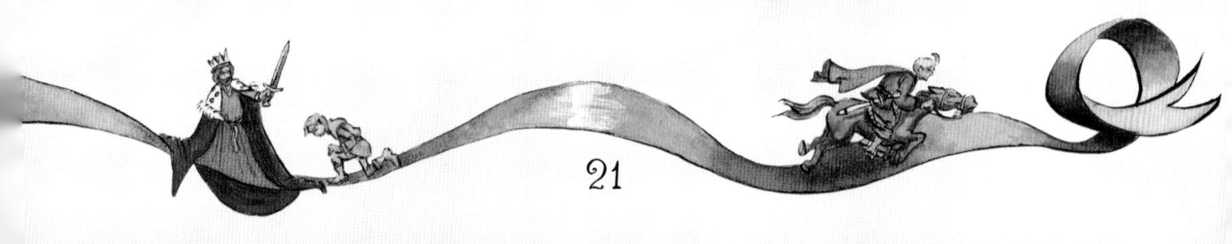

Caro fratello, metti subito a morte colei che reca questo messaggio.

Ma anche questa volta si sbagliava di grosso, perché lungo il cammino verso la città dove abitava il fratello del barone la ragazza dovette fermarsi per la notte in una piccola locanda. La sera una banda di ladri fece irruzione proprio in quella locanda. I rapinatori, non contenti di portar via tutti i beni dell'oste, frugarono nelle tasche degli ospiti e trovarono la lettera addosso alla ragazza. Quando l'ebbero letta, concordarono che si trattasse di un perfido inganno. Era una vergogna. Allora il capo della banda si sedette e, prese carta e penna, scrisse:

Caro fratello, accogli colei che reca questo messaggio e uniscila senza indugio in matrimonio con mio figlio.

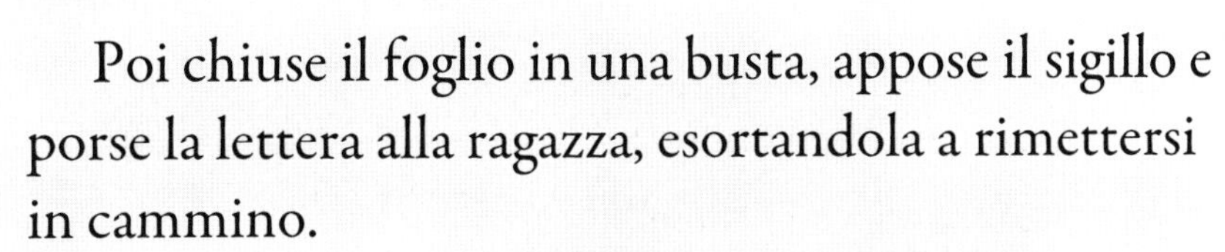

Poi chiuse il foglio in una busta, appose il sigillo e porse la lettera alla ragazza, esortandola a rimettersi in cammino.

Cosí, quando la fanciulla arrivò al castello del fratello del barone, questi, seppure alquanto sorpreso, diede ordine di apprestare un banchetto nuziale. Colpito dalla bellezza della giovane, il figlio del barone, che in quei giorni era ospite a casa dello zio, non obiettò e i due si sposarono immediatamente.

Quando gli giunse la notizia, il barone andò su tutte le furie, ma non volle arrendersi al destino. Si precipitò dal fratello e finse di essere molto contento, poi un giorno, quando non c'era nessuno in giro, propose alla giovane sposa di andare a fare una passeggiata, e quando furono vicini a una scogliera la afferrò e fece per gettarla in mare. Ma lei implorò di aver salva la vita.

– Non è colpa mia, – disse. – Io non ho fatto niente. È il destino. Ma se mi risparmierete la vita, prometto che anch'io mi opporrò alla sorte: non mi farò piú vedere né da voi né da vostro figlio. Cosí anche voi sarete piú sicuro, perché il mare potrebbe portarmi in salvo cosí come fece il fiume.

Il barone acconsentí, si tolse l'anello d'oro dal dito e lo lanciò tra i flutti sotto la scogliera dicendo: – Non azzardarti mai piú a presentarti al mio cospetto se non potrai mostrarmi quell'anello.

E con quelle parole la lasciò andare.

La ragazza girovagò e girovagò, finché non giunse al castello di un nobiluomo dove c'era bisogno di una sguattera e le fu offerto un lavoro.

Un giorno, mentre puliva un grosso pesce, la fanciulla guardò fuori dalla cucina

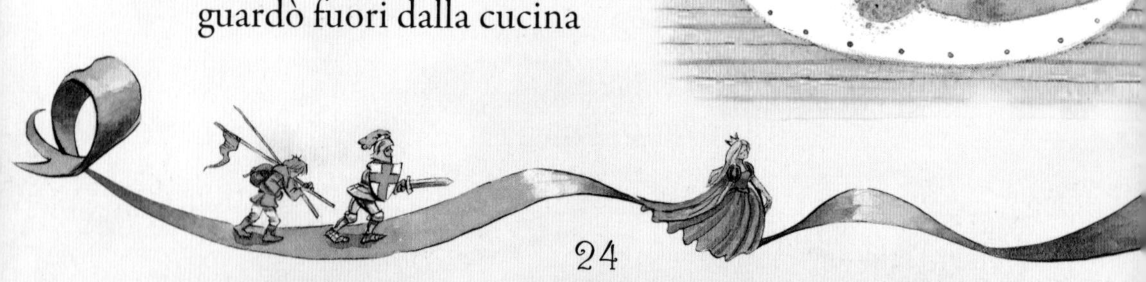

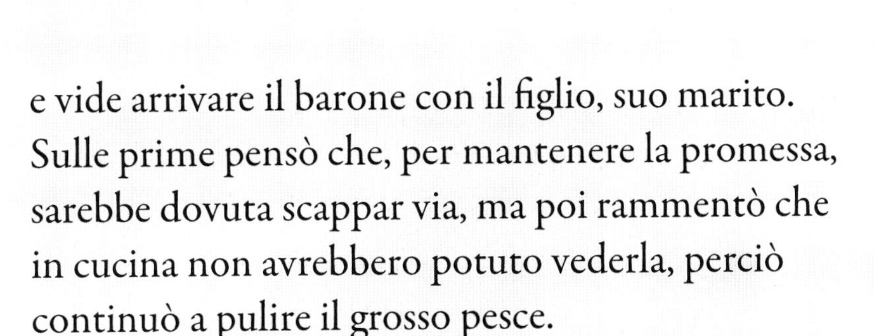

e vide arrivare il barone con il figlio, suo marito. Sulle prime pensò che, per mantenere la promessa, sarebbe dovuta scappar via, ma poi rammentò che in cucina non avrebbero potuto vederla, perciò continuò a pulire il grosso pesce.

Mentre lavorava, fra le interiora vide qualcosa luccicare: si trattava dell'anello del barone!

La ragazza, vi assicuro, ne fu assai contenta e se lo infilò subito al pollice. Dopodiché proseguí il suo lavoro, condendo il pesce come meglio sapeva fare e guarnendolo con burro e salsa di prezzemolo.

Quando il piatto giunse in tavola, gli ospiti lo apprezzarono tanto che chiesero al padrone di casa chi lo avesse cucinato.

Allora il nobiluomo ordinò ai domestici: – Fate venire la cuoca che ha preparato quest'ottimo pesce cosicché possa essere premiata.

Non appena ricevette l'invito, la fanciulla si fece coraggio e, con l'anello d'oro al pollice, entrò a testa alta in sala da pranzo. Quando i commensali

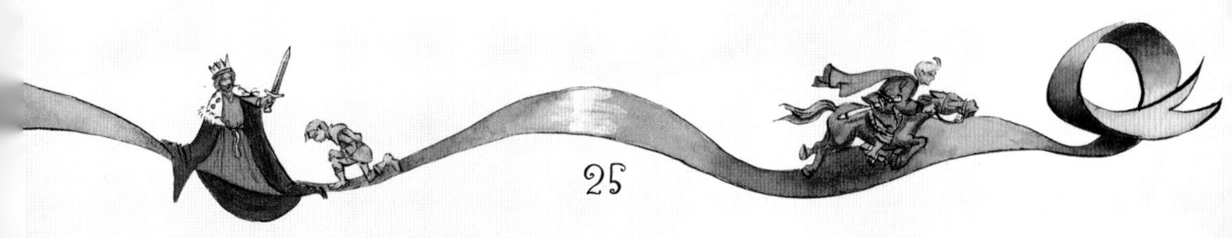

la videro, rimasero colpiti dalla sua straordinaria bellezza, e lo sposo saltò in piedi felice. Ma il barone, avendola riconosciuta, le si scagliò contro infuriato, come se volesse ucciderla.

Allora, senza dire una parola, la ragazza alzò la mano davanti alla sua faccia: sul dito brillava e luccicava l'anello. Poi poggiò la mano con l'anello sul tavolo proprio sotto gli occhi del barone.

Alla fine questi comprese che il destino era stato piú forte di lui e, presa la giovane per mano, la fece sedere accanto a sé e si rivolse agli ospiti dicendo: – Questa è la moglie di mio figlio. Facciamo un brindisi in suo onore.

Dopo cena il barone riportò il figlio e sua moglie al castello, dove i due giovani vissero per sempre felici e contenti.

Cappuccio di Giunco

di Joseph Jacobs

C'era una volta un ricchissimo gentiluomo che aveva tre figlie, e un giorno decise di scoprire quanto gli volessero bene.

Allora chiese alla prima: – Quanto è grande il tuo amore per me, cara?

– Oh, be', – rispose lei, – quanto la mia stessa vita.

– Va bene, – disse lui, poi chiese alla seconda: – Quanto è grande il tuo amore per me, cara?

– Oh, be', – rispose lei, – piú del mondo intero.

– Va bene, – disse lui, poi chiese alla terza: – Quanto è grande il tuo amore per me, cara?

– Oh, be', ti voglio tanto bene quanto la carne fresca ne vuole al sale, – rispose lei.

A sentire quelle parole, il gentiluomo si infuriò. – Tu non mi vuoi affatto bene! – esclamò. – In casa mia non puoi piú stare –. Cosí la cacciò via su due piedi e le sbatté la porta in faccia.

La fanciulla camminò e camminò, sempre piú lontano da casa, finché non giunse a una palude dove raccolse un fascio di giunchi; poi li intrecciò assieme per ricavarne una specie di mantello con il cappuccio con cui si coprí dalla testa ai piedi per nascondere i suoi eleganti vestiti. Fatto questo, la giovane camminò e camminò, sempre piú lontano, finché non giunse a una grande casa.

– Vi occorre una domestica? – domandò.

– No, non ci serve, – le fu risposto.

– Non ho casa, – disse lei, – e poi non chiedo soldi e sono pronta a svolgere qualunque lavoro.

– Be', se sei disposta a lavare le pentole e a raschiare le padelle, puoi restare.

Cosí la fanciulla rimase lí e lavò le pentole, raschiò le padelle e svolse tutte le umili mansioni che le vennero affidate. Poiché non aveva detto il suo nome, tutti la chiamavano Cappuccio di Giunco.

Un giorno fu organizzata una grande festa da ballo poco lontano da lí, e la servitú ebbe il permesso di andare ad ammirare i gran signori che vi partecipavano. Ma Cappuccio di Giunco disse che era troppo stanca per andare e rimase a casa. Quando però tutti furono usciti, la ragazza si sbarazzò del cappuccio di giunco, si ripulí da cima a fondo e si diresse al ballo.

E lí non c'era nessuno elegante come lei.

Alla festa era stato invitato anche il figlio del padrone che si innamorò della fanciulla nello stesso istante in cui i suoi occhi si posarono su di lei. Cosí il giovane non volle danzare con nessun'altra per tutta la sera. Ma prima che il ballo finisse Cappuccio di Giunco se la svignò e tornò subito a casa. E quando le altre domestiche rincasarono lei finse di dormire coperta dal suo cappuccio di giunco.

Il mattino dopo loro le dissero: – Cappuccio di Giunco, che spettacolo ti sei persa!

– Di che si tratta? – domandò lei.

– La dama piú bella che si sia mai vista, vestita con abiti sontuosi. Il padroncino non le ha mai tolto gli occhi di dosso.

– Be', mi sarebbe piaciuto vederla, – replicò lei.

– Stasera ci sarà un altro ballo: magari tornerà.

Quella sera Cappuccio di Giunco disse che era troppo stanca per partecipare alla festa. Tuttavia, quando tutti se ne furono andati, si sbarazzò del cappuccio di giunco, si ripulí da cima a fondo e si diresse al ballo.

Il figlio del padrone, che l'aspettava, non danzò con nessun'altra e non le tolse mai gli occhi di

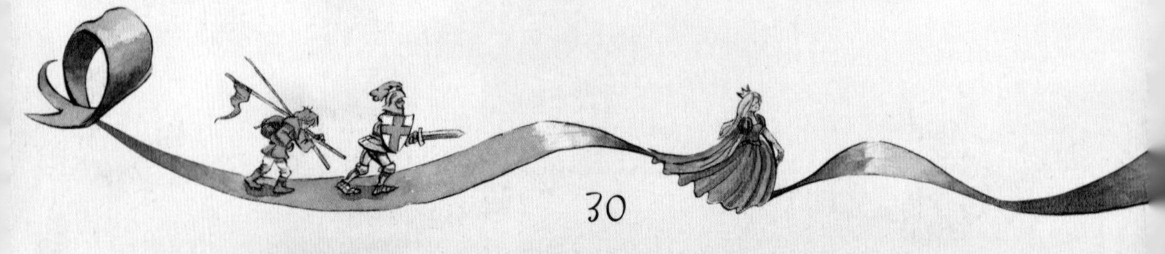

dosso. Ma prima che la festa giungesse al termine la ragazza se la svignò e tornò a casa. E quando le domestiche rincasarono finse di dormire coperta dal suo cappuccio di giunco.

Il mattino dopo loro le dissero di nuovo: – Ah, Cappuccio di Giunco, avresti dovuto esserci per vedere quella dama. Indossava abiti sontuosi e il padroncino non le ha mai tolto gli occhi di dosso.

– Be', mi sarebbe proprio piaciuto vederla, – replicò lei.

– Stasera ci sarà un altro ballo e devi assolutamente venire con noi: lei ci sarà di sicuro.

Giunta la sera, però, Cappuccio di Giunco disse che era troppo stanca per partecipare alla festa e che sarebbe rimasta a casa. Ma quando tutti se ne furono andati la ragazza si sbarazzò del suo cappuccio di giunco, si ripulí da cima a fondo e si diresse al ballo. Il figlio del padrone fu molto felice di vederla. Ballò solo con lei e non le tolse mai gli occhi di dosso. E quando la fanciulla si rifiutò di rivelargli come si chiamasse e da dove venisse, le diede un anello e le disse che se non l'avesse piú vista sarebbe morto.

Ma prima che il ballo giungesse a termine lei se la svignò e tornò a casa. E quando le domestiche rincasarono finse di dormire coperta dal suo cappuccio di giunco.

Il mattino dopo, però, loro le dissero:

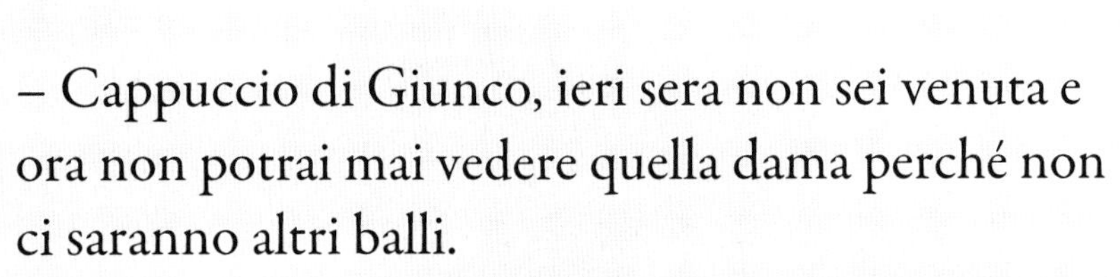

– Cappuccio di Giunco, ieri sera non sei venuta e ora non potrai mai vedere quella dama perché non ci saranno altri balli.

– Be', mi sarebbe proprio piaciuto vederla, – replicò lei.

Il figlio del padrone tentò in tutti i modi di scoprire dove fosse finita la fanciulla, ma dovunque andasse e a chiunque chiedesse non riusciva a sapere nulla di lei.

Il mal d'amore continuò a peggiorare, finché il giovane fu costretto a letto.

– Prepara un po' di minestra per il padroncino, – dissero le domestiche alla cuoca. – Sta morendo d'amore per quella dama.

La cuoca si apprestava a eseguire gli ordini quando Cappuccio di Giunco entrò in cucina.

– Che cosa state facendo? – domandò.

– Sto preparando un po' di minestra per il padroncino, – rispose la cuoca, – perché sta morendo d'amore per quella dama.

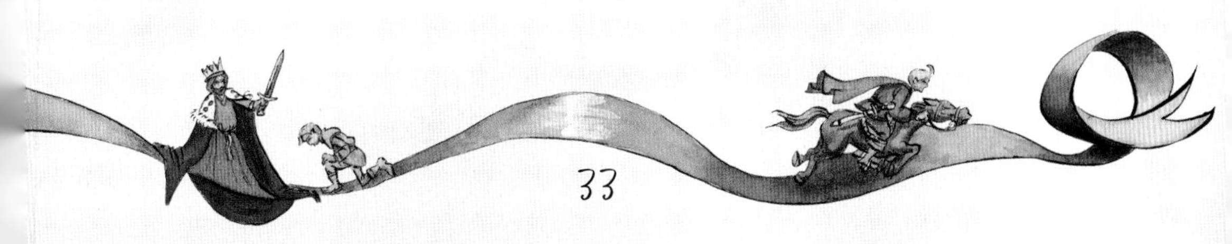

– Lasciate che me ne occupi io, – si offrí allora Cappuccio di Giunco.

All'inizio la cuoca esitò, ma poi acconsentí, e Cappuccio di Giunco preparò la minestra. Quando il piatto fu pronto, vi fece scivolare di nascosto l'anello prima che la cuoca lo portasse di sopra.

Il giovane iniziò a mangiare e vide l'anello sul fondo. – Chiamatemi la cuoca, – ordinò, e quando la donna arrivò le chiese: – Chi ha preparato questa minestra?

– Io, – rispose spaventata la cuoca.

Lui la guardò e disse: – No, non sei stata tu. Dimmi chi è stato, non ti farò alcun male.

– È stata Cappuccio di Giunco, – ammise la donna.

– Mandala qui da me, – ordinò lui.

Cosí Cappuccio di Giunco salí in camera del ragazzo.

– Hai preparato tu la minestra? – domandò il figlio del padrone.

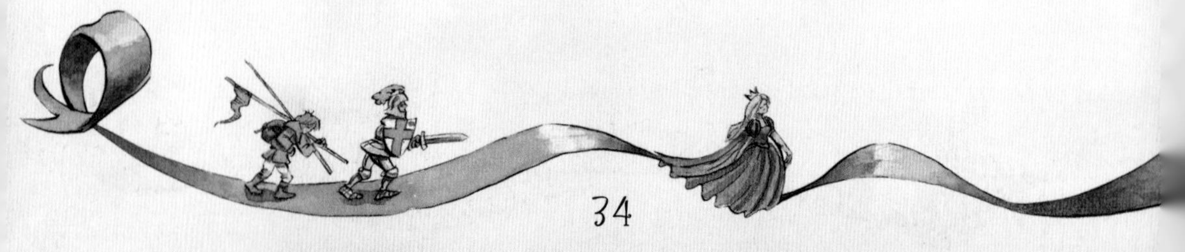

– Sí, – rispose lei.

– Dove hai preso quest'anello?

– Qualcuno me lo ha dato.

– Ma tu chi sei? – volle sapere il giovane.

Lei si tolse il cappuccio di giunco e si mostrò di fronte a lui nei suoi magnifici vestiti.

Cosí il giovane guarí in un batter d'occhio e subito dopo i due annunciarono le loro nozze. Fu organizzato un matrimonio in grande stile a cui furono invitati tutti, vicini e lontani.

L'invito giunse anche al padre di Cappuccio di Giunco, ma lei non aveva rivelato a nessuno il suo vero nome.

Il giorno prima delle nozze la ragazza andò dalla cuoca e le disse: – Voglio che nei piatti non ci sia nemmeno un granello di sale.

– Ma il cibo sarà immangiabile, – obiettò la cuoca.

– Non fa niente, – rispose la fanciulla.

– Va bene, – acconsentí la cuoca.

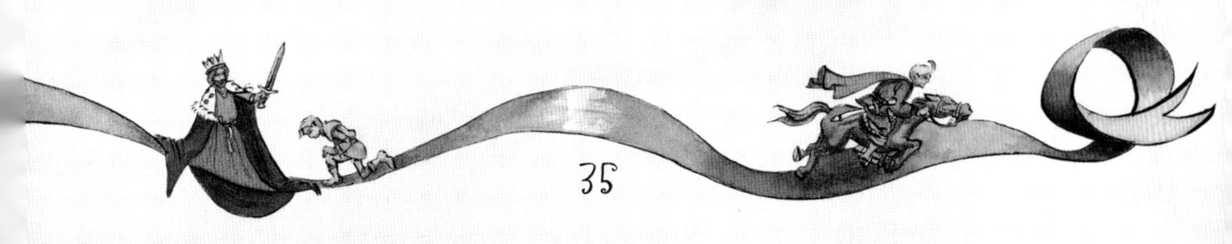

Il giorno delle nozze arrivò e i due giovani si sposarono. Al termine della cerimonia la compagnia si sedette a tavola. Quando fu servita la carne, era cosí insipida che nessuno riuscí a mangiarla.

Il padre di Cappuccio di Giunco assaggiò prima un piatto, poi l'altro, e alla fine scoppiò in lacrime.

– Che succede? – gli chiese il figlio del padrone.

– Ah, – rispose lui, – avevo una figlia a cui ho chiesto quanto fosse grande il suo amore per me. Lei ha detto: «Ti voglio tanto bene quanto la carne fresca ne vuole al sale», e io l'ho scacciata perché pensavo che non mi amasse affatto. Ma ora capisco che mi amava piú di chiunque altro e, per quanto ne so, adesso potrebbe essere morta.

– No, padre, ecco qui tua figlia! – esclamò Cappuccio di Giunco raggiungendolo e gettandogli le braccia al collo.

E da quel giorno vissero per sempre felici e contenti.

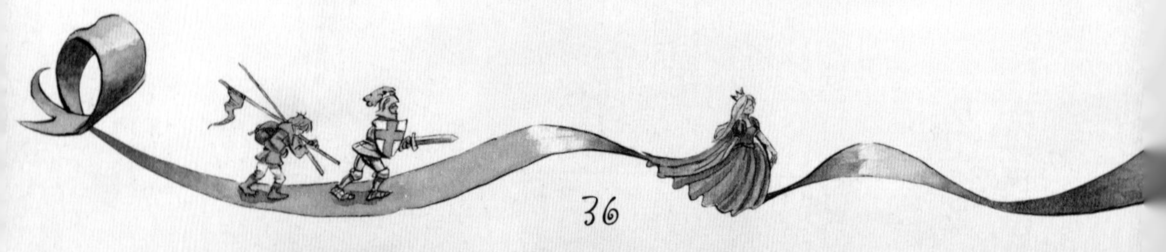

I quattro fratelli ingegnosi

dei fratelli Grimm

Una volta un pover'uomo disse ai suoi quattro figli: – Cari ragazzi, io non ho nulla da darvi. Dovrete andarvene per il mondo a cercar fortuna. Per cominciare, imparate un mestiere, e vediamo come ve la cavate. Cosí i quattro fratelli, con i bastoni e i fagotti in spalla, salutarono il padre e uscirono insieme dalla porta di casa.

Dopo aver percorso un breve tratto di strada, i

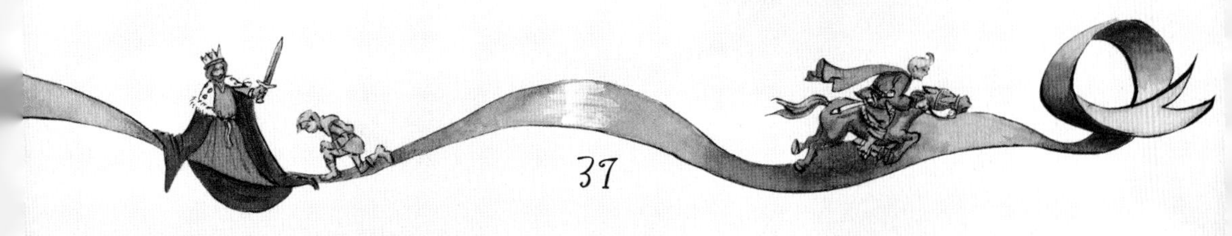

ragazzi giunsero a un crocevia da cui si dipartivano quattro strade, ognuna diretta verso un paese diverso.

Allora il primo disse: – A questo punto dobbiamo separarci, ma fra quattro anni esatti ci ritroveremo qui e nel frattempo ognuno di noi dovrà cercare di scoprire come cavarsela al meglio.

Dopodiché i quattro fratelli se ne andarono per la propria strada.

Mentre procedeva di buon passo, il primo incontrò un uomo che gli chiese dove stesse andando e che intenzioni avesse. – Vado per il mondo in cerca di fortuna e, per cominciare, vorrei imparare un'arte o un mestiere, – rispose lui.

– Vieni con me e diventerai il ladro piú astuto che sia mai esistito, – disse l'uomo.

– No, rubare non è un mestiere degno: che cosa ci si può guadagnare oltre alla forca?

– Della forca non devi aver paura, perché ti insegnerò a rubare in modo onesto. Io tocco solo quello di cui non importa a nessuno.

Cosí il giovane accettò di imparare il mestiere e ben presto si rivelò tanto abile da non lasciarsi mai sfuggire qualcosa su cui avesse messo gli occhi.

Anche il secondo fratello incontrò un uomo che, venuto a conoscenza delle sue intenzioni, gli chiese che tipo di mestiere volesse imparare.

– Non lo so ancora, – rispose lui.

– Allora vieni con me e diventerai un astronomo. È un'arte nobile, perché quando avrai imparato a capire le stelle, nessuno potrà piú nasconderti nulla.

Al ragazzo l'idea piacque, e ben presto divenne un astronomo cosí bravo che quando il suo apprendistato fu concluso il maestro gli diede un cannocchiale e disse:

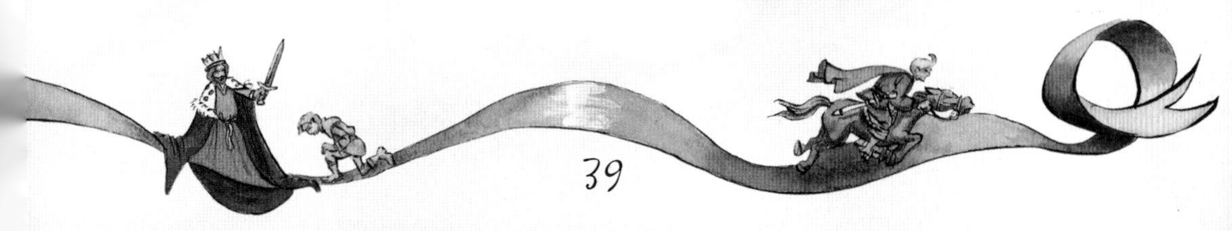

– Con questo potrai vedere tutto ciò che accade in cielo e in terra.

Il terzo fratello incontrò un cacciatore che lo prese con sé e lo istruí cosí bene da farlo diventare un maestro nella sua arte. Quando il ragazzo infine se ne andò, lui gli diede un arco e disse: – Con quest'arco puoi star sicuro di colpire qualunque cosa prenderai di mira.

L'ultimo fratello incontrò invece un uomo che gli chiese: – Non ti andrebbe di diventare sarto?

– Ah, no, – rispose il giovane, – stare seduto con l'ago in mano da mattina a sera non fa per me.

– Oh! – fece l'uomo, – non è questo il modo in cui cucio io. Vieni con me e imparerai un'arte di ben altro genere.

Non avendo di meglio da fare, il ragazzo accettò la proposta e imparò il mestiere. Quando si congedò dal maestro, lui gli diede un ago e disse: – Con questo potrai cucire qualunque cosa, che sia fragile come un uovo o dura come l'acciaio, e

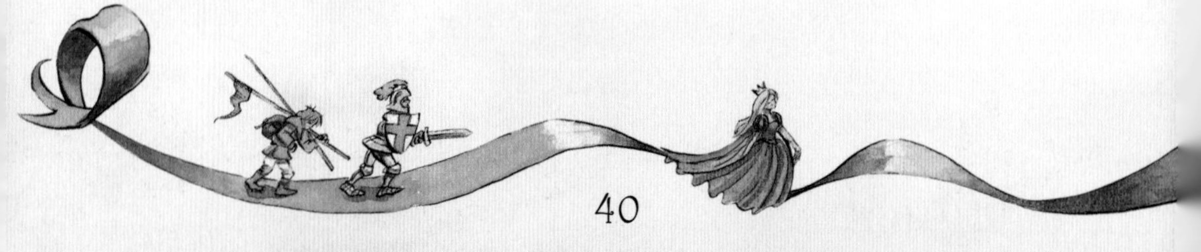

i punti saranno cosí sottili che non si vedranno nemmeno.

Trascorsi quattro anni, nel giorno concordato i fratelli si incontrarono al crocevia e, dopo essersi salutati, si incamminarono verso la casa del padre, dove gli riferirono tutto quel che era successo e come ciascuno di loro avesse imparato un mestiere.

Un giorno, mentre erano seduti davanti alla casa sotto un albero altissimo, il padre annunciò: – Vorrei mettervi alla prova per vedere cosa sapete fare –. L'uomo alzò gli occhi e disse al secondo figlio: – In cima a quell'albero c'è un nido di fringuelli: vorrei che mi dicessi quante uova contiene.

L'astronomo prese il cannocchiale, guardò in alto e rispose: – Ce ne sono cinque.

A quel punto il padre si rivolse al figlio maggiore. – Prendi le uova senza che l'uccello che le sta covando se ne accorga.

Il ladro si arrampicò sull'albero e portò al padre

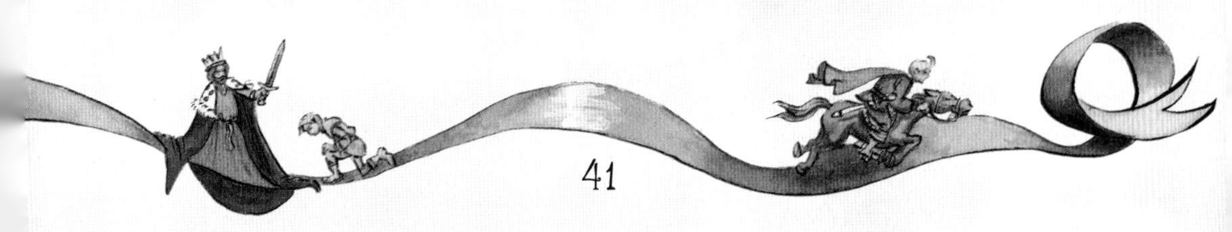

le cinque uova che aveva sottratto all'uccello senza che quello lo vedesse o si accorgesse dell'accaduto, tanto che continuò tranquillo a covare.

Allora il padre prese le uova, le dispose sul tavolo, una in ogni angolo e la quinta in mezzo, e disse al cacciatore: – Spezza le uova in due con un colpo solo.

Il cacciatore prese l'arco e fece quello che il padre gli aveva chiesto colpendo tutte e cinque le uova con un'unica freccia.

– Ora tocca a te, – disse il padre al giovane sarto. – Ricuci con cura gli uccellini colpiti dalla freccia e i gusci spezzati.

Il sarto prese l'ago e ricucí le uova come gli era stato chiesto.

Quando ebbe finito, il ladro dovette riportarle nel nido e metterle sotto il ventre dell'uccello senza che lui se ne accorgesse. Il fringuello restò lí a covarle, e dopo qualche giorno i piccoli spuntarono fuori: avevano solo una sottile striscia rossa attorno al collo, dove il sarto li aveva ricuciti.

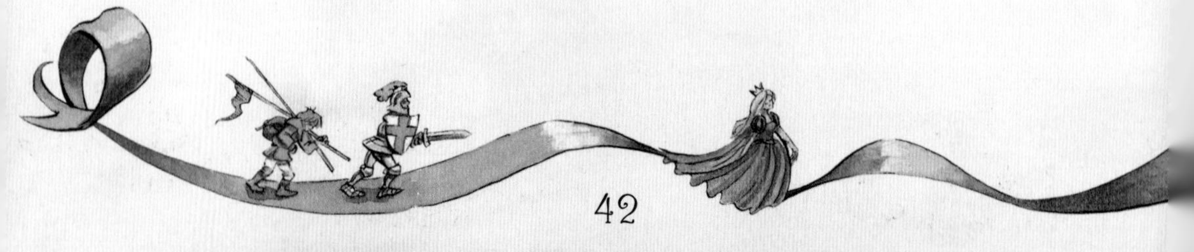

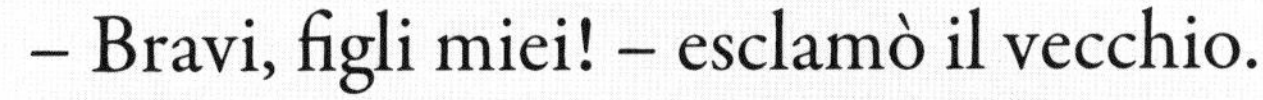

– Bravi, figli miei! – esclamò il vecchio. – Avete fatto buon uso del vostro tempo e avete imparato cose molto utili, ma non ho idea di chi fra voi sia il migliore. Mi auguro che presto abbiate un'occasione per mettere a frutto le vostre capacità!

Non molto tempo dopo in paese si scatenò il finimondo perché la figlia del re era stata rapita da un gigantesco drago. Il re, che si tormentava giorno e notte per quella perdita, annunciò che chiunque gliel'avesse riportata l'avrebbe avuta in moglie.

Allora i quattro fratelli si dissero: – Ecco l'occasione che aspettavamo: diamo prova delle nostre capacità.

Cosí decisero di provare a liberare la principessa.

– Non mi ci vorrà molto a scoprire dove si trova, – disse l'astronomo scrutando nel suo cannocchiale. E poco dopo esclamò: – La vedo: è molto lontana da qui, seduta su uno scoglio in mezzo al mare; il drago le sta accanto e la sorveglia.

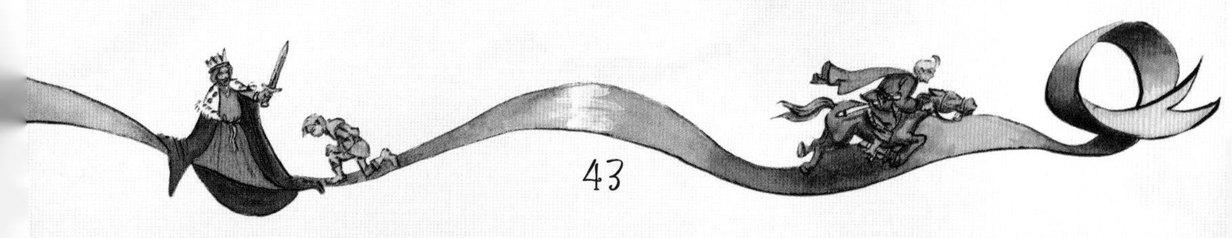

Il giovane andò dal re a chiedere una nave per sé e i suoi fratelli, e i quattro si misero in mare diretti allo scoglio. Vi trovarono la principessa seduta, proprio come aveva detto l'astronomo, e il drago addormentato con la testa sul suo grembo. – Non ho il coraggio di spararagli, – disse il cacciatore, – perché ucciderei anche lei.

– Ci proverò io, – disse il ladro. Fu cosí silenzioso che, quando sottrasse la fanciulla al drago, quello non si accorse di nulla e continuò a dormire.

Tutti contenti, i quattro scapparono insieme alla figlia del re, ma in men che non si dica il drago, che si era svegliato e aveva notato l'assenza della principessa, li raggiunse in volo ruggendo. Quando però fu sopra la nave e fece per balzar loro addosso e trascinare via la fanciulla, il cacciatore prese l'arco e scoccò una freccia, colpendolo dritto nel cuore. Il drago piombò giú morto stecchito.

Ma il mostro era tanto grosso che nel cadere

rovesciò la nave mandandola in pezzi. I giovani furono costretti a tenersi a galla in alto mare aggrappati a una tavola di legno. Allora il sarto prese il suo ago e con larghi punti cucí fra loro alcune assi, si sedette su quella zattera improvvisata

e andò a recuperare gli altri pezzi dell'imbarcazione. Dopodiché li riattaccò tanto in fretta che ben presto la nave fu pronta e tutti poterono tornare a riva sani e salvi.

Quando i giovani accompagnarono la principessa dal padre, la gioia del sovrano fu immensa.

– Uno di voi l'avrà in sposa, ma dovrete decidere a chi spetterà l'onore, – annunciò il re.

Subito fra i quattro scoppiò un alterco, e l'astronomo disse: – Se non avessi visto dove si trovava, tutte le vostre arti non sarebbero state di alcuna utilità, quindi la principessa dovrebbe sposare me.

– A che sarebbe servito vederla, – chiese il ladro, – se io non l'avessi sottratta al drago? La principessa dovrebbe essere mia.

– No, è mia, – ribatté il cacciatore, – perché in fin dei conti se io non avessi ucciso il drago, quello vi avrebbe fatto a pezzi assieme alla principessa.

– E se io non avessi ricucito la nave, – intervenne il sarto, – sareste annegati tutti, quindi la principessa deve sposare me.

Sentendoli discutere, il re disse: – Avete ragione, e dal momento che non potete sposare tutti mia figlia, la cosa migliore è che non la sposi nessuno di voi. A dire il vero, c'è qualcuno che lei preferisce di gran lunga. Ma per compensarvi della vostra perdita, vi donerò mezzo regno per ciascuno.

I quattro fratelli riconobbero che quella era una decisione molto saggia e che non aveva senso litigare per una fanciulla che di loro non si curava affatto.

Il sovrano mantenne la promessa e donò loro mezzo regno per ciascuno. Cosí i quattro fratelli vissero felici per il resto dei loro giorni prendendosi cura del padre, mentre qualcun altro pensava a prendersi cura della principessina meglio di quanto avrebbero potuto fare il drago o uno qualunque di loro.

Cenciosella

di Flora Annie Steel

In un magnifico palazzo in riva al mare abitava un tempo un vecchio signore ricchissimo senza né moglie né figli in vita. Aveva solo una nipotina che non aveva mai visto da quando era nata. L'uomo provava per lei un odio tremendo perché la sua figlia preferita era morta dandola alla luce. Quando la vecchia balia gli aveva portato la neonata, aveva giurato che non l'avrebbe guardata in faccia fino all'ultimo giorno della sua vita.

Cosí il vecchio aveva voltato le spalle al mondo

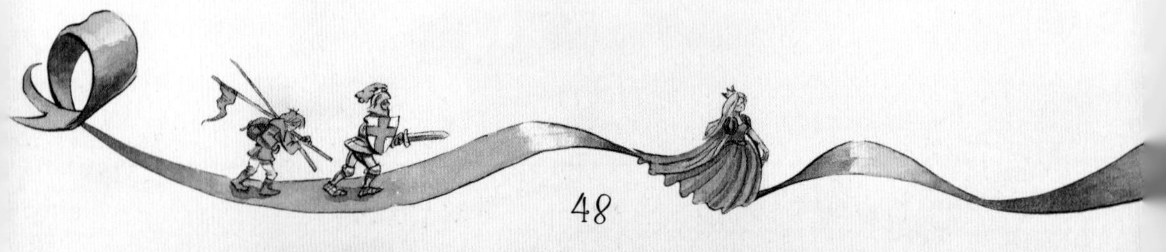

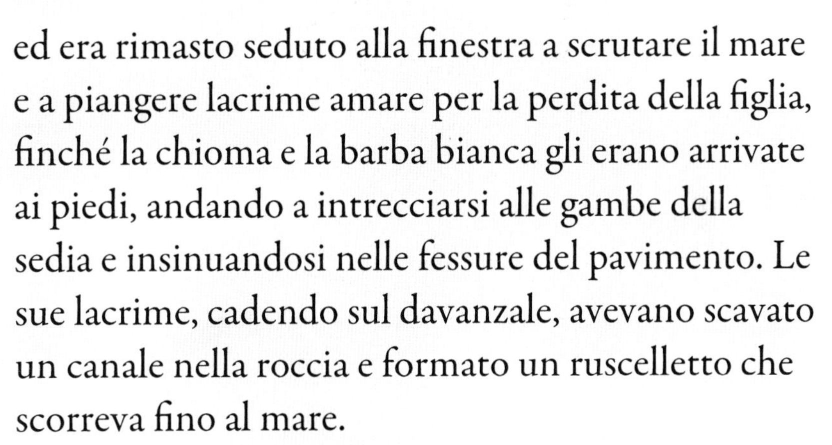

ed era rimasto seduto alla finestra a scrutare il mare e a piangere lacrime amare per la perdita della figlia, finché la chioma e la barba bianca gli erano arrivate ai piedi, andando a intrecciarsi alle gambe della sedia e insinuandosi nelle fessure del pavimento. Le sue lacrime, cadendo sul davanzale, avevano scavato un canale nella roccia e formato un ruscelletto che scorreva fino al mare.

Intanto la nipote cresceva senza nessuno che la nutrisse e la vestisse. Solo la vecchia balia, quando non c'era gente intorno, le allungava di tanto in tanto un piatto di avanzi presi in cucina o una sottana lacera recuperata fra gli scampoli del cucito. Il resto della servitú del palazzo la scacciava con spintoni e parole di scherno, chiamandola Cenciosella e additando le spalle e i piedi scalzi, finché lei correva via in lacrime e andava a nascondersi tra i cespugli.

Cosí la fanciulla crebbe soffrendo la fame e con pochi stracci da indossare. Trascorreva le giornate all'aperto in compagnia di un guardiano di oche che portava i suoi animali al pascolo nei prati attorno al villaggio. Era un giovane pieno di vita, e quando la ragazza aveva fame o freddo, oppure era stanca, le suonava con il suo piccolo piffero un motivetto cosí allegro che lei dimenticava tutti i suoi guai e si metteva a ballare assieme al chiassoso branco di oche.

Un giorno corse voce che il re stava attraversando il Paese e avrebbe dato un grande ballo nella città vicina per tutti i signori e le dame del circondario. In quell'occasione il principe, il suo unico figlio, avrebbe scelto una moglie tra le fanciulle invitate. A tempo debito, uno degli inviti al ballo reale giunse per mare sino al

palazzo, e i domestici lo portarono dal loro anziano signore, che ancora se ne stava seduto alla finestra avviluppato nei suoi lunghi capelli bianchi e piangeva tanto che le sue lacrime continuavano ad alimentare il fiumiciattolo.

Ma quando l'uomo venne a conoscenza della decisione del re, si asciugò gli occhi e chiese un paio di forbici per liberarsi, giacché la sua chioma lo aveva fatto prigioniero e lui non poteva piú muoversi. Dopodiché si fece portare ricchi abiti e gioielli, li indossò e ordinò ai domestici di bardare il cavallo bianco con finimenti d'oro e seta, cosí da potersi mettere in viaggio per incontrare il sovrano. Al vecchio signore era completamente passato di mente che aveva una nipote da portare al ballo.

In quel mentre Cenciosella era seduta accanto alla porta della cucina e piangeva perché non poteva assistere ai sontuosi preparativi. Quando udí i suoi singhiozzi, l'anziana balia andò dal padrone e lo implorò di condurre sua nipote con sé al ballo reale.

Per tutta risposta, lui aggrottò la fronte e le intimò di tacere, mentre i domestici ridevano e dicevano: – Cenciosella si accontenta dei suoi stracci e del guardiano delle oche con cui giocare! Lasciala in pace: di piú non riesce mica a fare.

La vecchia balia pregò una seconda e poi una terza volta l'anziano signore di permettere alla fanciulla di andare al ballo, ma ottenne solo sguardi torvi e parole aspre, finché i servi non la cacciarono dalla stanza.

Piangendo per il suo insuccesso, la vecchia balia andò in cerca di Cenciosella, che però nel frattempo era corsa a raccontare al suo amico quanto le dispiacesse non poter partecipare al ballo del re.

Ascoltata la sua storia, il giovane le propose di andare con lui in città per vedere il re e tutte le altre belle cose. Quando lei fissò avvilita gli stracci che indossava e i piedi scalzi, lui suonò una breve melodia tanto gioiosa e allegra che Cenciosella dimenticò tutti i suoi guai. Cosí, prima che potesse accorgersene, il guardiano delle oche l'aveva presa

per mano, preceduto dalle oche, e aveva imboccato a passo di danza la strada che portava in città.

Non si erano spinti molto lontano quando un bellissimo giovane dalle splendide vesti andò loro incontro sul suo destriero e si fermò a chiedere indicazioni per il castello del re. Appreso che anche i due ragazzi stavano andando da quella parte, scese di sella e proseguí il cammino a piedi insieme a loro.

– Avete un'aria allegra, – disse, – mi farete compagnia.

– Un'ottima compagnia! – ribatté il guardiano intonando una nuova melodia.

Era uno strano motivetto che costrinse il giovane a guardare, guardare e guardare ancora Cenciosella, finché non vide piú i vestiti stracciati e, a dire il vero, non fu in grado di vedere altro che il suo bel visino.

Allora disse: – Voi siete la fanciulla piú bella del creato. Volete sposarmi?

Udendo quelle parole, il guardiano delle oche sorrise sotto i baffi e suonò con piú dolcezza che mai.

Ma Cenciosella scoppiò a ridere. – Non è il caso, – rispose. – Metterebbero alla berlina voi e anche me se prendeste in moglie una guardiana di oche! Chiedete la mano a una delle gran dame che parteciperanno al ballo invece di prendervi gioco di me.

Ma piú lei lo rifiutava, piú la musica del piffero si addolciva e il giovane si innamorava perdutamente della fanciulla, finché la implorò di andare quella sera a mezzanotte al ballo del re, insieme al guardiano e alle oche, scalza e con la sua gonna logora. Allora avrebbe visto se lui non l'avrebbe invitata davvero a ballare sotto gli occhi del re, dei signori e delle dame, e se non l'avrebbe presentata a tutti come la sua cara e adorata promessa sposa.

Sulle prime Cenciosella non accettò, ma poi il guardiano delle oche disse: – Prendi la fortuna come viene, piccolina.

Quella sera, mentre nel salone del castello inondato di luci e musica i gentiluomini e le loro signore danzavano al cospetto del re, allo scoccar della mezzanotte Cenciosella e il guardiano, con al seguito il chiassoso branco di oche che sibilavano e dondolavano la testa, attraversarono il grande portone e andarono dritti verso la sala da ballo, passando tra le gran dame che bisbigliavano e i nobiluomini che ridacchiavano. Il re, seduto in fondo alla stanza, li guardava sbalordito. Ma quando giunsero davanti al trono, l'innamorato di Cenciosella si alzò in piedi dietro il re e le andò incontro. Poi la prese per mano, la baciò tre volte di fronte a tutti e si rivolse al sovrano.

– Padre! – disse, perché quel giovane altri non era che il principe in persona. – Ho fatto la mia scelta ed ecco la mia sposa, la fanciulla piú deliziosa di tutto il Paese, e la piú dolce!

Prima che il principe avesse finto di parlare, il guardiano delle oche si portò il piffero alle labbra e intonò alcune note che sembravano il cinguettio di un uccello lontano nella foresta. Mentre suonava, gli stracci di Cenciosella si trasformarono in un abito luccicante incrostato di splendide pietre preziose e sulla chioma della ragazza comparve una coroncina d'oro. Nel frattempo il branco di oche alle sue spalle si trasformò in una schiera di eleganti paggi che le reggevano il lungo strascico.

E quando il re si alzò per accoglierla come una figlia, le trombe suonarono in onore della nuova principessa e fuori in strada la gente esclamò: – Ah! Il principe ha scelto in moglie la fanciulla piú graziosa di tutto il Paese!

Il guardiano delle oche, invece, svaní nel nulla, e nessuno seppe mai cosa ne fosse stato di lui. Il vecchio signore se ne tornò al suo palazzo in riva al mare, poiché aveva giurato di non guardare sua nipote in faccia e quindi non poteva restare a corte.

Ed è ancora lí, seduto alla finestra: se solo poteste vederlo mentre piange lacrime piú amare che mai! La sua bianca chioma lo ha imprigionato alle pietre del castello e il fiume delle sue lacrime continua a scorrere fino al grande mare.

Un apprendista sveglio

di Walter Gregor

Una volta un calzolaio prese a servizio un apprendista. Poco dopo l'inizio dell'apprendistato, l'uomo chiese al ragazzo come pensava di chiamarlo quando si rivolgeva a lui.

– Oh, vi chiamerei solo maestro, – rispose l'apprendista.

– No, – disse il maestro, – devi chiamarmi maestro di tutti i maestri.

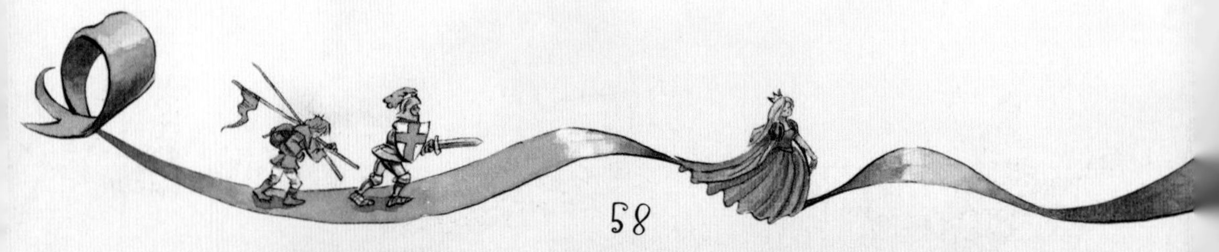

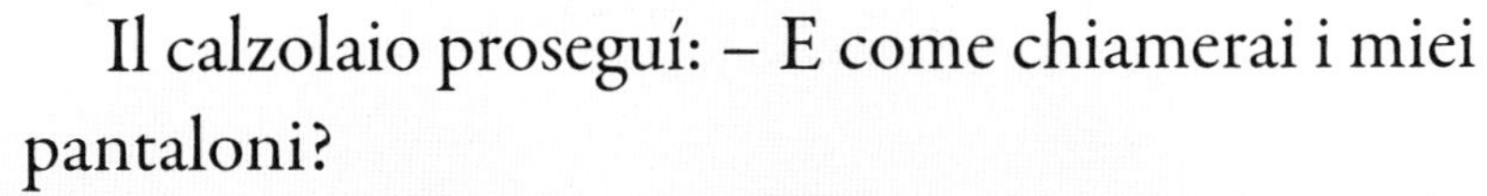

Il calzolaio proseguí: – E come chiamerai i miei pantaloni?

Apprendista: – Oh, li chiamerò pantaloni.

Calzolaio: – No, devi chiamarli brache. E come chiamerai mia moglie?

Apprendista: – Oh, la chiamerò padrona.

Calzolaio: – No, devi chiamarla Bella Signora Permoumadame. E come chiamerai mio figlio?

Apprendista: – Oh, lo chiamerò Giovannino.

Calzolaio: – No, devi chiamarlo Giovanni il Grande. E come chiamerai il gatto?

Apprendista: – Oh, lo chiamerò micetto.

Calzolaio: – No, devi chiamarlo Grande Carl Gropus. E come chiamerai il fuoco?

Apprendista: – Oh, lo chiamerò fuoco.

Calzolaio: – No, devi chiamarlo Fuoco Evangelista. E come chiamerai il mucchio di torba?

Apprendista: – Oh, lo chiamerò soltanto mucchio di torba.

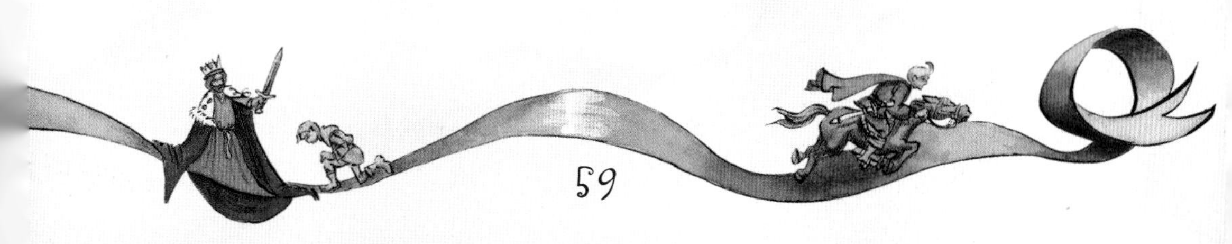

Calzolaio: – No, devi chiamarlo Monte Potago. E come chiamerai il pozzo?

Apprendista: – Oh, lo chiamerò pozzo.

Calzolaio: – No, devi chiamarlo Bella Fonte. E per finire, come chiamerai la casa?

Apprendista: – Oh, la chiamerò casa.

Calzolaio: – No, devi chiamarla Castello di Mungo.

Conclusa la lezione all'apprendista, il calzolaio gli disse che il primo giorno che fosse stato in grado di usare quelle parole tutte insieme senza commettere nemmeno un errore l'apprendistato sarebbe giunto al termine.

Il ragazzo non dovette aspettare molto tempo per avere l'occasione di usare quelle parole. Una mattina si alzò dal letto prima del padrone e accese il fuoco. Poi legò dei pezzetti di carta alla coda del gatto e lanciò l'animale tra le fiamme. Il gatto scappò fuori con la carta incendiata sulla coda e finí sul mucchio di torba, che subito prese fuoco.

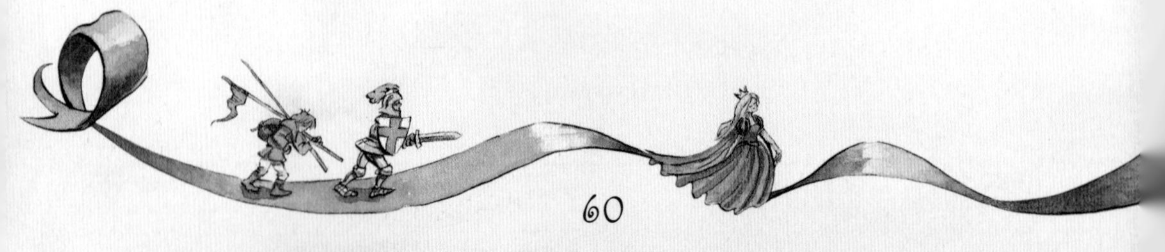

Allora l'apprendista corse dal maestro ed esclamò: – Maestro di tutti i maestri, alzatevi, infilatevi le braghe e chiamate Giovanni il Grande e la Bella Signora Permoumadame, perché il Grande Carl Gropus ha preso Fuoco Evangelista ed è saltato sul Monte Potago, e se non andate a chiedere aiuto alla Bella Fonte l'intero Castello di Mungo finirà in cenere!

La fanciulla saggia

di Katharine Pyle

C'era una volta una fanciulla come non se ne erano mai viste, perché era piú saggia del re e di tutti i suoi consiglieri. Suo padre era tanto orgoglioso di lei che si vantava della sua intelligenza sia a casa sia fuori e non riusciva a smettere di tessere le sue lodi.

Un giorno, mentre si pavoneggiava con un vicino, disse: – Mia figlia è cosí brillante che nemmeno il re potrebbe farle una domanda a cui

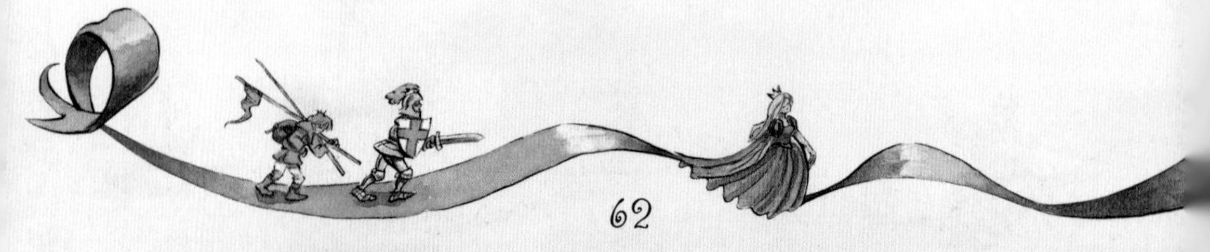

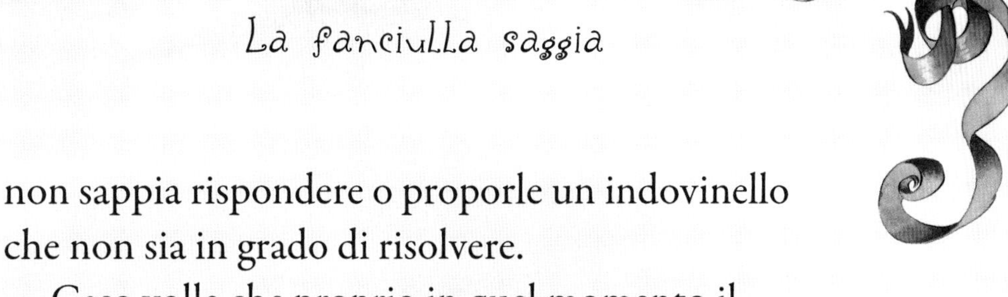

non sappia rispondere o proporle un indovinello che non sia in grado di risolvere.

Caso volle che proprio in quel momento il re fosse affacciato a una finestra lí nei pressi e avesse udito le parole pronunciate dal padre della fanciulla. Cosí il giorno dopo lo mandò a chiamare.

– Ho sentito dire che avete una figlia tanto intelligente da non avere pari in tutto il regno: è vero? – chiese il sovrano.

– Sí, – rispose l'uomo. Quella era la pura verità. Il suo acume e il suo ingegno non avrebbero mai potuto essere decantati abbastanza.

Questo era un bene, e il re ne fu contento. Lui aveva trenta uova, tutte ottime e fresche, ma ci sarebbe voluta una persona molto intelligente per far nascere i pulcini. Cosí chiese al suo cancelliere di andare a prendere le uova e di darle all'uomo.

– Portate queste a casa da vostra figlia, – disse il sovrano, – e chiedetele di covarle per me. Se ci riuscirà, riceverà un sacco pieno di monete per il disturbo, ma se fallirà sarete bastonato a causa della vostra vanagloria.

A sentire quelle parole, l'uomo si allarmò molto. Ma sua figlia era tanto intelligente che con ogni probabilità sarebbe riuscita a far schiudere le uova. Cosí le portò a casa e ripeté alla fanciulla, parola per parola, quel che il re aveva detto.

La ragazza non ci mise molto a scoprire che quelle uova erano sode. Quando lo disse al padre, lui fu colto da una grande agitazione. Il re gli aveva tirato un brutto scherzo: ora avrebbe dovuto sopportare le bastonate e tutto il vicinato sarebbe venuto a saperlo. Sarebbe stato meglio non avere una figlia intelligente, se questo era tutto quanto ne avrebbe ricavato.

Ma la ragazza gli disse di non abbattersi. – Va' a letto e dormi tranquillo. Mi farò venire in mente un modo per tirarci fuori dai guai. Tu non ne ricaverai alcun danno, dovessi andare di persona a palazzo a ricevere le bastonate al posto tuo.

Il mattino dopo la ragazza diede al padre un sacchetto di fagioli cotti e gli disse di portarli in un certo luogo dove il re passava ogni giorno a cavallo. – Aspetta lí finché non lo vedi arrivare, – spiegò la fanciulla, – poi comincia a seminare i fagioli –. Mentre lo faceva, avrebbe dovuto gridare cosí forte che il sovrano non avrebbe potuto non sentirlo.

L'uomo prese il sacchetto di fagioli e andò nel campo che gli aveva indicato la figlia. Poi aspettò finché vide arrivare il re e solo allora prese a seminare i fagioli urlando forte: – Vieni sole, vieni pioggia! Voglia il cielo che questi fagioli cotti mi regalino un buon raccolto.

Il re rimase stupito che qualcuno potesse essere cosí stupido da pensare che i fagioli cotti sarebbero germogliati. Non aveva riconosciuto l'uomo, che aveva visto soltanto una volta, ma fermò il cavallo per parlargli.

– Pover'uomo, – disse, – come potete pensare

che i fagioli cotti germoglino? Non sapete che è impossibile?

– Qualunque cosa il re ordini dev'essere possibile, – replicò l'uomo, – e se dalle uova sode possono nascere dei pulcini, perché i fagioli cotti non dovrebbero germogliare?

A sentire quelle parole, il sovrano guardò l'uomo con maggiore attenzione e riconobbe il padre della fanciulla saggia.

– Avete proprio una figlia intelligente, – disse. – Tornatevene a casa con i vostri fagioli e riportatemi le uova che vi ho dato.

Lieto di sentire quelle parole, l'uomo obbedí in un lampo. Riportati indietro i fagioli, prese le uova e si diresse al palazzo reale.

Quando ebbe recuperato le sue uova, il sovrano diede all'uomo un pugnetto di lino. – Portatelo alla vostra saggia figlia, – disse, – e chiedetele di ricavarne nel giro di una settimana un corredo di vele per una grande nave. Se ce la farà, otterrà metà del mio regno in premio, ma se fallirà voi vi beccherete una legnata che sarà difficile da dimenticare.

L'uomo tornò a casa lamentandosi della sua cattiva sorte.

– Qual è il problema? – domandò la figlia. – Il re mi ha forse assegnato un altro compito?

Era proprio cosí: il padre le mostrò il lino

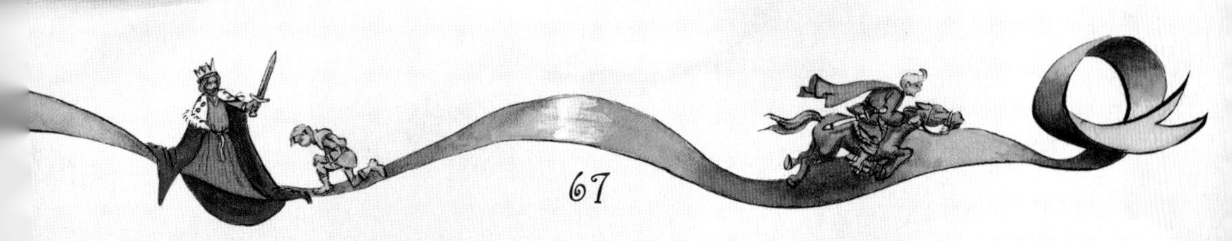

che il sovrano le aveva mandato e le riferí il suo messaggio.

– Non preoccuparti, – disse la fanciulla, – perché non subirai alcun danno. Va' a letto e dormi tranquillo. Domani manderò al re una risposta che lo lascerà soddisfatto.

L'uomo credette alle parole della figlia e, messosi sotto le coperte, sprofondò in un placido sonno.

Il mattino dopo la ragazza diede al padre un pezzetto di legno. – Porta questo al re, – disse, – e annunciagli che sono pronta a tessere le vele, ma prima lui dovrà trasformare questo legnetto in una nave abbastanza grande per montarcele sopra.

Il padre fece quel che la figlia le aveva chiesto, e il re rimase sorpreso della scaltra risposta della ragazza.

– Bene, allora la dispenserò da questo compito. Ma ecco, prendete questa brocca di vetro! Portatela alla vostra saggia figlia e ditele che le ordino di vuotare l'oceano in modo che io possa andare a

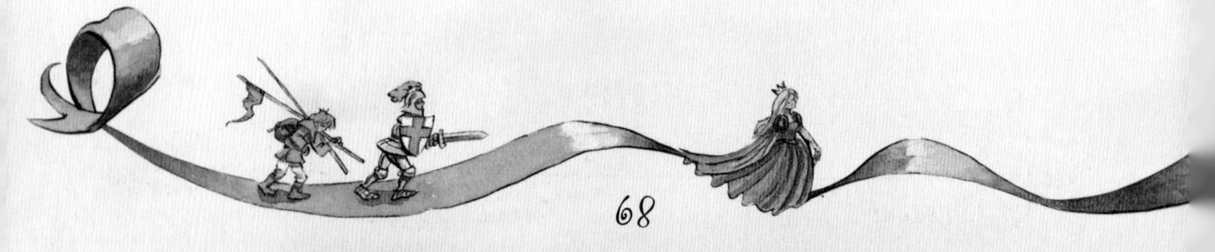

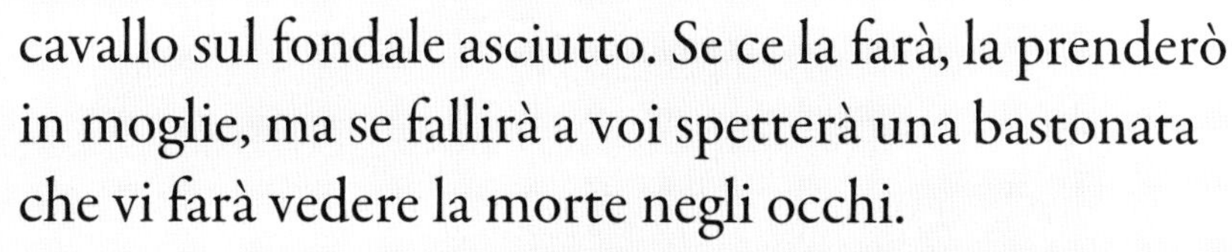

cavallo sul fondale asciutto. Se ce la farà, la prenderò in moglie, ma se fallirà a voi spetterà una bastonata che vi farà vedere la morte negli occhi.

L'uomo prese la brocca e corse a casa, singhiozzando e lamentandosi del suo triste fato.

– Be', che c'è stavolta? – chiese la figlia. – Cosa vuole adesso il re?

L'uomo le diede la brocca di vetro e le riferí quel che il sovrano aveva detto.

– Non preoccuparti, – lo tranquillizzò la ragazza. – Va' a letto e dormi in pace. Nessuno ti bastonerà, e ben presto io sarò regina e regnerò su tutto il Paese.

Fidandosi di lei, l'uomo andò a letto e sognò la figlia seduta accanto al re con una corona in testa.

Il mattino dopo la fanciulla diede al padre un ciuffo di lana. – Porta questo al re e digli che mi hai dato la brocca e che sono pronta a prosciugare l'oceano, ma prima lui dovrà usare questa lana per bloccare tutti i fiumi che vi confluiscono.

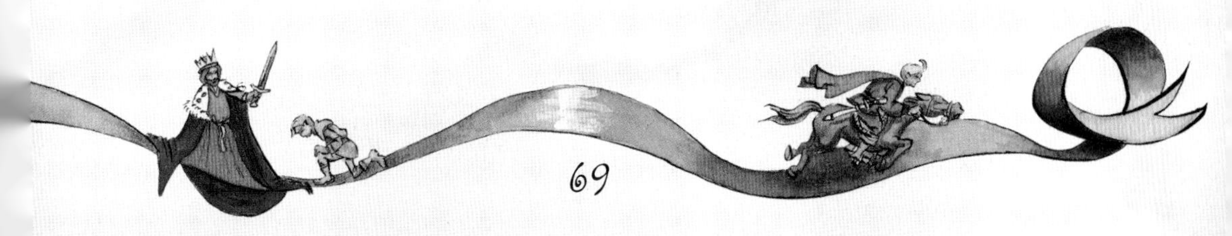

L'uomo seguí le istruzioni della figlia alla lettera: portò la lana al re e ripeté parola per parola quel che lei aveva detto.

Allora il sovrano capí che la ragazza era proprio furba e la convocò al suo cospetto.

Lei si presentò con il suo vestito tessuto a mano, le scarpe grezze e una cuffia in testa ma, nonostante il misero abbigliamento, era bella e fresca come un fiore, e il re non ci mise molto ad accorgersene. Tuttavia voleva sincerarsi di persona che la fanciulla fosse davvero intelligente come suggerivano i messaggi che gli aveva mandato.

– Dimmi un po', – esordí il sovrano, – qual è il suono piú lontano che si possa udire al mondo?

– Il tuono che rimbomba in cielo e in terra, – rispose la ragazza, – e i vostri regi comandi che corrono di bocca in bocca.

Al re quella risposta piacque molto. – E ora dimmi, – continuò, – quanto vale il mio scettro reale?

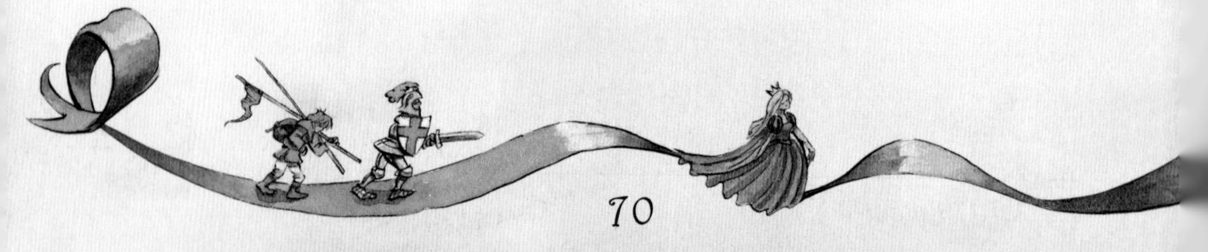

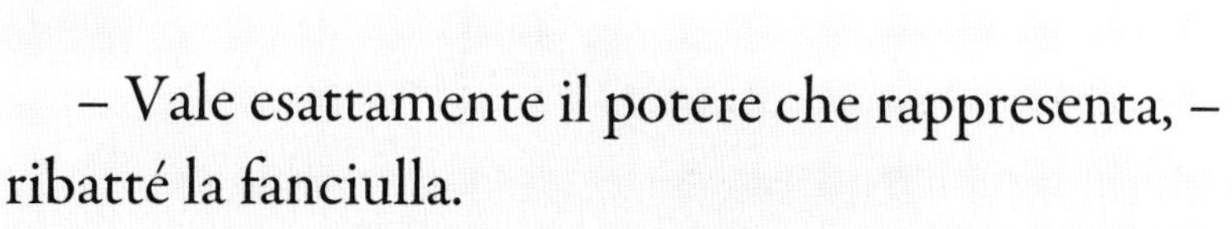

– Vale esattamente il potere che rappresenta, – ribatté la fanciulla.

Il re fu cosí soddisfatto delle risposte che mise da parte ogni esitazione e decise che la ragazza sarebbe stata la sua regina e che si sarebbero dovuti sposare immediatamente.

Ma su questo lei aveva qualcosa da ridire. – Io non sono che una povera ragazza, – obiettò, – e i miei modi sono diversi dai vostri. Potrebbe sempre darsi che vi stanchiate di me o che prima o poi, se vi farò arrabbiare, mi rimandiate a vivere a casa di mio padre. Promettetemi che, se dovesse accadere, mi permetterete di portare via dal castello ciò a cui tengo di piú.

Il re acconsentí di buon grado, ma la fanciulla non fu soddisfatta finché lui non ebbe messo nero su bianco la sua promessa sottoscrivendola di proprio pugno. Dopodiché la ragazza e il sovrano si sposarono con gran pompa e lei andò a vivere a palazzo per regnare su tutto il Paese.

Se quando era una semplice contadinella era ben contenta di indossare abiti fatti a mano e di vivere come si conviene a chi lavora la terra, divenuta regina non volle portare altro che le vesti, i gioielli e gli ornamenti piú sontuosi, perché le sembrava la cosa migliore per la moglie di un re.

Ma il sovrano, molto geloso per natura, pensò che la moglie non si curasse affatto di lui e che le importasse soltanto dei bei regali che lui poteva farle.

Un giorno che erano in procinto di partire per un altro Paese, lei impiegò tanto tempo a prepararsi che il sovrano fu costretto ad aspettare e andò su tutte le furie.

Quando la moglie gli si presentò davanti, non volle nemmeno guardarla. – Di me non t'importa niente: tu tieni solo ai gioielli e agli abiti raffinati che indossi! – esclamò. – Come ti ho promesso, puoi portare con te ciò a cui tieni di piú, ma torna a casa di tuo padre. Non voglio

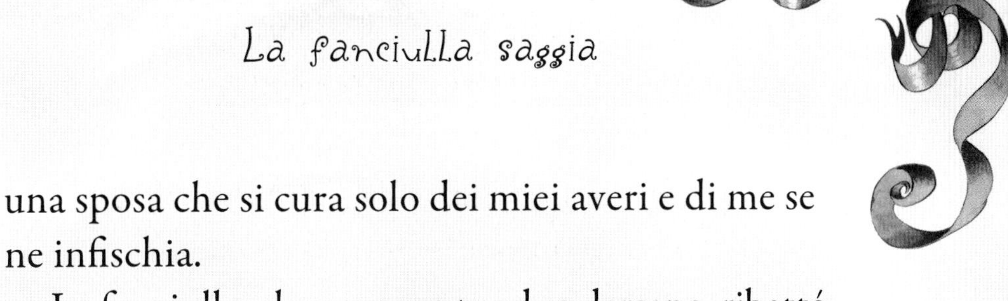

una sposa che si cura solo dei miei averi e di me se ne infischia.

La fanciulla, che era pronta ad andarsene, ribatté: – A casa di mio padre sarò certo piú felice di quanto non fossi quando vi ho conosciuto –. Ciò nonostante, chiese di trascorrere un'ultima notte a palazzo e di cenare ancora una volta assieme a lui prima di tornare a casa. Il re acconsentí, perché non aveva mai smesso di amarla, nonostante fosse molto arrabbiato con lei.

Cosí quella sera il sovrano e sua moglie mangiarono insieme, e alla fine la regina prese una coppa d'oro e la riempí di vino. Poi, mentre il marito non guardava, versò un sonnifero nella bevanda e gliela offrí.

Senza sospettare di nulla, il re accettò la coppa e bevve fino all'ultima goccia, dopodiché si addormentò fra i cuscini. Allora la regina diede ordine di trasportare il marito a casa di suo padre e di adagiarlo sul letto.

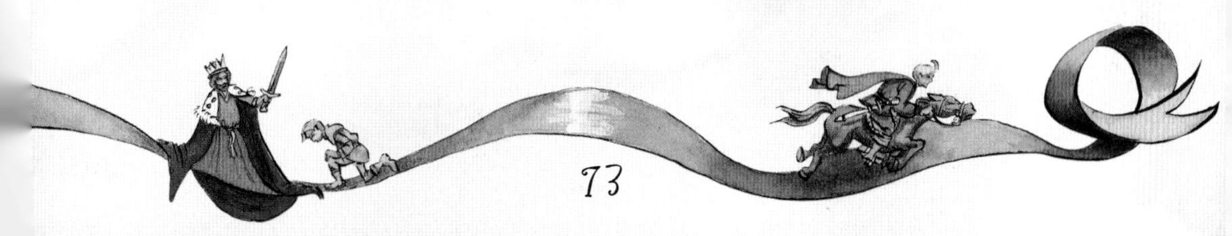

Il mattino dopo, al risveglio, il re fu molto stupito di trovarsi nella casupola del contadino. Si sollevò sui gomiti per guardarsi attorno, e subito la ragazza accorse accanto a lui, con indosso gli abiti grezzi e ordinari che portava prima di sposarsi.

– Cosa significa tutto questo? – chiese il re. – Come sono arrivato qui?

– Mio caro marito, – rispose la fanciulla, – avevate promesso che se mi aveste rimandato a casa di mio padre, io avrei potuto portare via dal castello ciò a cui tenevo di piú. Siete voi ciò a cui tengo di piú, e non m'importa di nulla che non mi renda gradevole ai vostri occhi.

A sentire quelle parole, la rabbia e la gelosia del re svanirono. Strinse fra le braccia la sua sposina e la baciò teneramente.

Quello stesso giorno tutti e due tornarono a palazzo, e da allora il sovrano e la moglie contadina vissero insieme felici e innamorati.

FIABE STRANE E FANTASTICHE

Il Grosso, l'Alto e l'uomo dagli occhi di fuoco

di Alexander Chodsko

In un certo Paese c'era una volta un re che aveva una figlia. Oltre a poter vantare una bellezza straordinaria, questa fanciulla era anche dotata di un'intelligenza fuori del comune. Molti re e principi giungevano da regioni remote nella speranza di conquistare la sua mano, ma lei non voleva saperne

di nessuno di loro. Alla fine fu proclamato che la principessa avrebbe sposato l'uomo che per tre notti di seguito fosse riuscito a tenerla d'occhio e a impedirle di svignarsela di soppiatto. Chi avesse fallito, però, avrebbe perduto la testa.

La notizia si diffuse da un capo all'altro del mondo, e moltissimi re e principi accorsero ad affrontare la prova, aspettando il proprio turno per fare la guardia alla figlia del re. Ma tutti persero la vita nel tentativo, perché non riuscirono a impedire alla principessa di fuggire o, se è per questo, anche solo ad accorgersi che stava tagliando la corda.

Quando il principe Mattia venne a conoscenza dell'accaduto, decise di montare anche lui la guardia per tre notti di seguito. Era giovane, slanciato come un cervo e ardito come un falco. Suo padre fece di tutto per dissuaderlo: supplicò, pregò, minacciò e alla fine gli proibí di partire, ma fu tutto inutile. Nulla poté distoglierlo dal suo intento. Che cosa mai poteva fare il suo povero padre? Sfinito da quel

confronto, alla fine fu costretto ad acconsentire. Mattia riempí il borsellino di monete d'oro, si fissò alla cintola la spada migliore e partí tutto solo in cerca della fortuna che spetta ai piú arditi.

Il giorno dopo, lungo il cammino, il ragazzo incontrò un uomo che a malapena riusciva a trascinare avanti una gamba dopo l'altra.

– Dove stai andando? – chiese Mattia.

– Vado per il mondo in cerca della felicità.

– Che mestiere fai?

– Io non ho un lavoro, ma so fare una cosa che nessun altro è capace di fare. Mi chiamano Grosso perché riesco a diventare tanto grande da contenere un intero reggimento di soldati –. Detto questo, l'uomo si gonfiò al punto di formare una barricata che andava da un lato all'altro della strada.

– Bravo! – esclamò Mattia, entusiasta di aver ricevuto una dimostrazione delle sue capacità. – Che ne diresti di farmi compagnia? Anch'io vado per il mondo in cerca della felicità.

– Se le tue intenzioni non sono malvagie, vengo volentieri, – rispose il Grosso, e cosí i due proseguirono il viaggio insieme.

Dopo un po' incontrarono un uomo molto slanciato, magro da far paura e alto e dritto come un palo.

– Dove vai, buon uomo? – chiese Mattia, molto incuriosito dal suo strano aspetto.

– In giro per il mondo.

– E qual è il tuo mestiere?

– Non ho un lavoro, ma so fare una cosa di cui nessun altro è capace. Mi chiamano Alto, e a ragione. Infatti, senza staccare i piedi da terra riesco ad allungarmi fino a toccare le nubi. Quando cammino, percorro un chilometro a ogni passo.

Con estrema facilità, l'uomo si protese verso l'alto finché la sua testa scomparve tra le nuvole. E, quando fece un passo, balzò davvero avanti di un chilometro.

– Molto bene, brav'uomo, – si complimentò Mattia. – Ti piacerebbe proseguire il viaggio con noi?

– Perché no? – rispose lui. – Vi seguo.

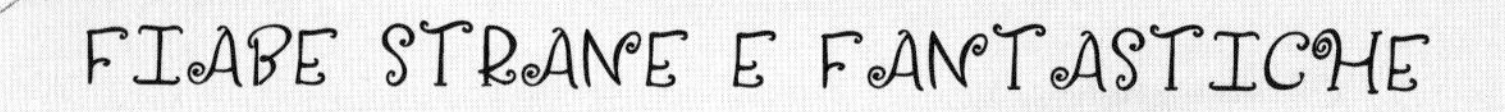

Cosí i tre continuarono il cammino insieme. Mentre attraversavano una foresta, videro un uomo che ammucchiava tronchi d'albero l'uno sull'altro.

– Che cosa stai facendo? – gli domandò Mattia.

– I miei occhi sono di fuoco, – rispose lui, – e sto preparando un falò –. Detto questo, fissò il legno e il mucchio di tronchi si incendiò all'istante.

– Tu sei un uomo molto saggio e potente, – disse Mattia, – vuoi unirti alla nostra compagnia?

– D'accordo, lo farò.

Cosí i quattro proseguirono il viaggio

insieme. Mattia era molto felice di avere incontrato tre compagni tanto dotati e pagò loro le spese con generosità, senza lamentarsi dell'enorme somma di denaro che dovette sborsare per tutto il cibo che ingurgitava il Grosso.

Dopo qualche giorno i quattro giunsero al palazzo della principessa. Mattia aveva rivelato ai suoi amici il motivo del suo viaggio e aveva promesso a ciascuno un grosso premio se l'impresa avesse avuto successo. Loro gli avevano detto che si sarebbero impegnati seriamente in quella missione che fino allora nessuno era riuscito a compiere.

Il principe comprò loro dei bei vestiti e quando furono presentabili li mandò a dire al re, il padre della principessa, che era venuto assieme ai suoi attendenti per sorvegliare sua figlia per tre notti di seguito. Il giovane fece però bene attenzione a non rivelare chi fosse e da dove venisse.

Il re li accolse con benevolenza e, ascoltata la loro richiesta, disse: – Riflettete bene prima

di imbarcarvi in questa impresa, perché se la principessa scapperà voi dovrete morire.

– Dubitiamo che riesca a scappare, – risposero loro, – ma qualunque cosa accada, siamo decisi a compiere il tentativo e a iniziare subito.

– Era mio dovere avvertirvi, ma se siete decisi a farlo vi condurrò di persona negli appartamenti della damigella.

Mattia restò abbagliato dalla bellezza della fanciulla, e lei lo accolse con grande cortesia, senza tentare di nascondere quanto le piacessero il suo aspetto e le maniere gentili. Appena il re si ritirò, il Grosso si stese sulla soglia della stanza, mentre l'Alto e l'uomo dagli occhi di fuoco si sistemarono accanto alla finestra, lasciando Mattia a conversare con la principessa e a controllare ogni suo movimento.

Di colpo la fanciulla smise di parlare e dopo qualche istante disse: – Mi sento come se sulle mie palpebre stesse scendendo una pioggia di papaveri –. Dopodiché si sdraiò sul divano e finse di dormire.

Mattia non osava fiatare. Vedendola assopita, si sedette a un tavolo vicino al sofà, vi posò sopra i gomiti e appoggiò il mento nelle palme delle mani.

Poi pian piano gli venne sonno e i suoi occhi si chiusero. Lo stesso accadde ai compagni.

Quello era il momento che la principessa stava aspettando. Tramutatasi in fretta e furia in una colomba, la fanciulla volò via dalla finestra. Se le sue ali non avessero sfiorato i capelli dell'Alto, lui non si sarebbe mai svegliato, e di certo non sarebbe riuscito ad acciuffarla se non fosse stato per l'uomo dagli occhi di fuoco che, saputo in quale direzione era andata, le lanciò uno sguardo. La vampata fu tanto potente che in un batter d'occhio le ali si bruciarono, perciò la colomba fu costretta ad appollaiarsi in cima a un albero. Lassú l'Alto la raggiunse facilmente e la posò tra le mani di Mattia, dove riprese l'aspetto della principessa proprio mentre il giovane si svegliava.

Il mattino dopo e quello dopo ancora il re fu

molto stupito di trovare sua figlia seduta accanto al principe, ma non disse nulla. Doveva accettare gli eventi e offrire ai suoi ospiti un'accoglienza regale.

Al giungere della terza notte, però, il sovrano andò a parlare con la figlia e la pregò di ricorrere a tutta la sua magia per liberarsi di quegli intrusi dei quali nessuno conosceva il rango o la fortuna.

Dal canto suo, Mattia ricorse a tutti i mezzi a sua disposizione per portare a compimento un'impresa che fino a quel momento era cosí ben riuscita.

Prima di entrare negli appartamenti della principessa, il giovane prese da parte i compagni e disse loro: – Cari amici, ormai è sufficiente tentare la fortuna per un'ultima volta. Ma non dimenticate che se falliremo le nostre quattro teste rotoleranno sul patibolo.

– Non temere, – risposero i tre, – faremo di sicuro buona guardia.

Giunti nella stanza della principessa, tutti corsero ai loro posti e Mattia si sedette di fronte alla

damigella. Avrebbe preferito di gran lunga restare con lei senza essere obbligato a sorvegliarla tutto il tempo per paura di perderla per sempre. Deciso a non addormentarsi, stavolta si disse: «Adesso devo tenerti d'occhio, ma non appena sarai mia moglie potrò riposare».

A mezzanotte, quando il sonno iniziava ad avere la meglio sui guardiani, senza dire una parola la principessa si stiracchiò sul divano e chiuse i suoi begli occhi come se stesse davvero dormendo.

Mattia, con i gomiti appoggiati al tavolo, il mento nelle palme delle mani e lo sguardo fisso su di lei, la ammirava in silenzio. Ma, si sa, il sonno chiude gli occhi persino all'aquila, e quella notte li chiuse anche al principe e ai suoi compagni.

La principessa, che era stata per tutto il tempo a osservarli aspettando solo quel momento, si alzò dal suo posto e, tramutatasi in un moscerino, volò fuori dalla finestra. Appena fu libera, si trasformò di nuovo, stavolta in un pesce, e, gettandosi nel

pozzo del palazzo, si immerse negli abissi e cercò un angolino in cui nascondersi.

Sarebbe di certo riuscita a fuggire se, mentre era un moscerino, non avesse sfiorato la punta del naso dell'uomo dagli occhi di fuoco. Questi starnutí e aprí gli occhi appena in tempo per notare in che direzione se l'era svignata. Senza perdere neanche un istante, lanciò l'allarme, e i quattro corsero subito in cortile.

Anche se il pozzo era molto profondo, l'Alto si allungò fino a toccarne il fondo e cercò in ogni angolo, ma non riuscí a trovare il pesciolino. Sembrava impossibile che fosse entrato lí dentro!

– Va bene, vieni fuori adesso, prendo io il tuo posto, – disse il Grosso.

E, scavalcato il bordo del pozzo, si infilò

all'interno riempiendo l'intera cavità e intasandola con il suo corpo enorme, finché l'acqua non sgorgò tutta fuori. Ma del pesciolino non c'era traccia.

– Ora tocca a me, – disse l'uomo dagli occhi di fuoco. – Vi garantisco che farò sloggiare quell'astuta maga.

Quando il Grosso uscí dal pozzo, l'acqua tornò al suo posto, ma ben presto iniziò a bollire a causa del calore degli occhi di fuoco. Bollí e bollí finché non salí fino all'orlo del pozzo, e mentre si gonfiava e si alzava sempre di piú si vide un pesciolino mezzo cotto balzare di colpo sull'erba. Non appena toccò il suolo, assunse le sembianze della principessa.

Mattia la raggiunse e la baciò con tenerezza.

– Hai vinto, padrone e marito mio, – disse lei, – sei riuscito a impedirmi di scappare. Da oggi in poi sarò tua, sia per conquista sia per mia libera scelta.

La cortesia, la forza e la nobiltà d'animo del giovane, per non parlare della sua avvenenza, avevano conquistato la principessa, ma il re non era

propenso ad approvare la sua scelta e pensò bene di impedirle di partire insieme ai quattro uomini.

Ma Mattia, deciso a portarla via con l'aiuto dei suoi tre compagni, delle intenzioni del re non si preoccupava affatto, e ben presto la compagnia lasciò il palazzo.

Il re era furibondo e ordinò alle sue guardie di riportarli indietro, pena la morte. Intanto Mattia, la principessa e i tre compagni avevano già messo tra sé e il castello una distanza di diversi chilometri. Quando la fanciulla si accorse che qualcuno li inseguiva, pregò l'uomo dagli occhi di fuoco di scoprire chi fosse. Lui si voltò a guardare e le disse che una grande armata di uomini a cavallo li stava raggiungendo al galoppo.

– Sono le guardie di mio padre! – esclamò lei. – Sarà difficile sfuggire loro –. Poi, vedendo i cavalieri avvicinarsi, si tolse il velo e se lo gettò alle spalle. – Che dietro di noi spuntino tanti alberi quanti sono i fili in questo velo – disse.

Fu cosí che, in un batter d'occhio, una foresta alta e fitta sorse a dividerli dagli inseguitori. Prima che i soldati riuscissero ad aprirsi un varco nella folta macchia, Mattia e i suoi compagni li avevano distanziati di molto, ed ebbero persino il tempo di concedersi una breve sosta.

– Guarda se ci stanno ancora inseguendo, – disse la principessa all'uomo dagli occhi di fuoco.

Lui si voltò e rispose che le guardie del re erano uscite dalla foresta e li stavano raggiungendo.

– Non riusciranno a prenderci! – esclamò lei. E, facendosi cadere una lacrima dagli occhi, disse: – Lacrima, trasformati in fiume.

In quell'istante un ampio fiume iniziò a scorrere tra loro e gli inseguitori, e prima che questi avessero trovato il modo di attraversarlo Mattia e i suoi compagni erano già lontani.

– Uomo dagli occhi di fuoco, – disse la principessa, – guardati alle spalle e dimmi quanto sono distanti quelli che ci inseguono.

– Si sono avvicinati di nuovo, – rispose lui, – li abbiamo quasi alle calcagna.

– Tenebre, avvolgeteli, – ordinò la principessa.

A quelle parole, l'Alto si alzò, si allungò fino a toccare le nuvole e coprí il sole per metà con il suo cappello. Allora la faccia rivolta ai soldati si fece nera come la notte, mentre Mattia e i suoi amici, illuminati dalla metà splendente, percorsero un bel pezzo di strada senza incontrare ostacoli.

Quando furono abbastanza lontani, l'Alto scoprí il sole e subito raggiunse i

compagni con qualche passo lungo un chilometro. La casa di Mattia era già in vista quando i cinque si accorsero che le guardie reali li avevano quasi raggiunti un'altra volta.

– Ora tocca a me, – disse il Grosso. – Voi andate avanti e mettetevi al sicuro, io rimango qui: mi troveranno pronto.

L'uomo attese tranquillo l'arrivo delle guardie, restando immobile con la grossa bocca spalancata da un orecchio all'altro. L'esercito reale, che era determinato a non tornare indietro senza aver recuperato la principessa, avanzava al galoppo. I soldati avevano stabilito tutti insieme che, se avessero incontrato resistenza, avrebbero assediato la città.

Scambiando la bocca del Grosso per una delle porte delle mura di cinta, vi si infilarono dentro per scomparire tutti, l'uno dietro l'altro.

Il Grosso allora chiuse la bocca e li inghiottí per poi affrettarsi a raggiungere i compagni nel palazzo del padre di Mattia. Con un intero esercito nella

pancia non si sentiva granché bene, e mentre correva la terra gemeva e tremava sotto i suoi piedi, ma le grida di giubilo della folla che si era raccolta attorno al principe ed esultava nel vederlo tornare sano e salvo lo spronarono ad andare avanti.

– Ah, eccoti, fratello mio, – gridò Mattia appena lo vide arrivare. – Ma dov'è l'armata?

– L'armata è qui dentro al sicuro, – rispose il Grosso accarezzandosi l'enorme pancia. – Sarò molto contento di farli uscire tutti d'un pezzo, perché non sono un boccone facile da digerire.

– Va bene, liberiamoli dalla loro prigione, – disse Mattia, divertito, prima di chiamare tutti gli abitanti della città ad assistere allo spettacolo.

Il Grosso, che non era nuovo a imprese del genere, si mise ritto nel bel mezzo della piazza del palazzo reale e, appoggiandosi le mani ai fianchi, prese a tossire. E a ogni colpo di tosse, una scena da non perdere: cavalieri e cavalli gli uscivano di bocca a precipizio, tuffandosi, saltando, balzando e

cercando di svignarsela il prima possibile. L'ultimo ebbe qualche difficoltà a liberarsi, perché chissà come si era incastrato in una narice e non riusciva piú a muoversi. Il Grosso dovette fare un bello starnuto per tirarlo fuori.

Qualche giorno dopo venne data una splendida festa per le nozze del principe Mattia e della principessa alla quale fu invitato anche il padre della fanciulla. A consegnargli l'invito fu mandato l'Alto che, grazie alla conoscenza della strada e alla lunghezza delle sue gambe, giunse a destinazione prima del ritorno delle truppe reali. Per i soldati fu un bene, perché se l'Alto non avesse interceduto per loro, vedendoli tornare a mani vuote il re gli avrebbe fatto di certo tagliare la testa.

Cosí ogni cosa andò per il meglio: il re alla fine fu molto contento di sapere che la figlia aveva trovato un marito nobile e cortese e Mattia premiò generosamente i suoi coraggiosi compagni di viaggio, che rimasero con lui per il resto della loro vita.

Bottiglie vuote

di Howard Pyle

Nicolas Flamel visse nel quindicesimo secolo e si guadagnò la fama di grande alchimista. Si diceva persino che avesse scoperto il segreto della pietra filosofale, la sostanza che secondo alcuni poteva trasformare in oro i metalli vili e che donava la vita eterna. In Harry Potter e la pietra filosofale *di J.K. Rowling, Nicolas Flamel compare come un vecchio collaboratore del professor Silente.*

Molto, molto tempo fa, quando gli uomini erano piú saggi di quanto non siano oggi, sulla terra viveva un grande mago filosofo di nome Nicolas Flamel che, oltre a conoscere tutte le

scienze esatte, aveva dimestichezza anche con la magia nera, la stregoneria e chissà cos'altro. Flamel invocava i demoni in modo che chiunque passasse davanti a una certa casa nelle notti di luna vedesse folletti grandi e piccoli, minuscoli e immensi che, seduti sui comignoli e sui cornicioni, sbattevano i tacchi contro le tegole senza mai smettere di chiacchierare. Lo stregone sapeva mutare il ferro e il piombo in oro e argento, aveva scoperto l'elisir di lunga vita e vivrebbe ancora al giorno d'oggi se avesse deciso che ne valeva la pena.

A quei tempi all'università studiava un giovane chiamato Gebhart che aveva una conoscenza cosí approfondita dell'algebra e della geometria da saper dire con una sola occhiata quante gocce d'acqua fossero contenute in una bottiglia di vino. Quanto al latino e al greco, li conosceva come se fossero la sua lingua madre. Nondimeno, non era soddisfatto delle conoscenze che aveva accumulato e voleva imparare ciò che nessuna scuola avrebbe potuto

insegnargli. Cosí un giorno andò a bussare alla porta di Nicolas Flamel.

– Avanti, – disse il vecchio saggio, e Gebhart lo trovò seduto fra abachi e alambicchi, polvere e pergamene, ricette e ragnatele, mentre disegnava strane figure sul tavolo con fili di paglia e un pezzo di gesso, perché un vero sapiente può trarre piú conoscenze da una pagliuzza e da un gessetto di quante noi comuni mortali possiamo trovarne in tutti i libri del creato.

Nella stanza non c'era nessuno oltre alla serva del vecchio saggio, che si chiamava Babette.

– Cosa vuoi? – chiese l'uomo guardando Gebhart oltre il bordo dei suoi occhiali.

– Maestro,

all'università ho studiato giorno dopo giorno, dalle prime ore della mattina a tarda sera, finché la testa mi ronzava e gli occhi mi bruciavano, ma non ho ancora imparato quello che piú di tutto desidero apprendere: le arti che nessuno oltre a voi mi può insegnare. Volete prendermi come allievo?

Il saggio scosse la testa. – A molti piacerebbe acquisire quelle conoscenze, ma pochi sono in grado di farlo. Ora dimmi: supponendo che ti venissero offerte tutte le ricchezze del mondo, preferiresti comunque diventare sapiente?

– Sí.

– E nel caso in cui potessi avere il rango e il potere di un re o di un imperatore, preferiresti comunque diventare sapiente?

– Sí.

– E ammesso che io accetti di farti da maestro, rinunceresti a qualsiasi piacere per seguirmi?

– Sí.

– Magari hai fame, – disse il maestro.

– Sí, – rispose lo studente, – molta.

– Allora, Babette, puoi portare un po' di pane e formaggio.

Gebhart aveva l'impressione di avere imparato tutto quel che Nicolas Flamel aveva da insegnargli.

Faceva giorno e, tenendo il suo allievo per mano, il maestro lo condusse lungo la scala vacillante che portava al tetto della sua casa, dove non si vedevano che il cielo grigio, gli alti palazzi e i comignoli da cui il fumo saliva dritto verso il cielo.

– Ormai, – disse il vecchio saggio, – ti ho trasmesso quasi tutto il mio sapere ed è ora di mostrarti la meraviglia che ci attende dall'inizio dei tempi. Hai rinunciato alle ricchezze e al mondo terreno, ai piaceri e all'amore in nome della sapienza. Ora devi affrontare l'ultima prova dimostrando di sapermi rimanere fedele fino alla fine: se fallirai, ciò che hai appreso andrà perso per sempre –. Detto questo, il maestro si tolse il

mantello dalle spalle denudandosi la schiena. Poi afferrò una bottiglia di unguento rosso e prese a cospargersi le scapole con quel liquido, e davanti agli occhi di Gebhart comparvero sotto la pelle liscia due protuberanze che crebbero e crebbero, fino a diventare ali immense e candide come la neve.
– Bene, aggrappati alla mia cintura e reggiti forte, perché ci attende un viaggio molto lungo e, se per sventatezza dovessi mollare la presa, cadresti e ti sfracelleresti al suolo –. L'uomo spiegò le sue grandi ali e prese il volo veloce come il vento, mentre Gebhart si teneva aggrappato alla sua cintura.

Il vecchio oltrepassò valli e colline, monti e brughiere, e la terra bruna sotto di loro era cosí distante che cavalli e mucche sembravano formiche e gli uomini mosche. Poco dopo sorvolarono l'oceano, solcato in lungo e in largo da navi che parevano schegge di legno in una pozzanghera durante un giorno di pioggia.

Alla fine giunsero in uno strano Paese lontano

lontano, e lí il maestro atterrò su una spiaggia dalla sabbia chiara come argento. Non appena i suoi piedi toccarono il suolo, le enormi ali scomparvero in una nuvoletta di fumo e il vecchio saggio riprese a camminare come un uomo qualunque.

Sulla riva sabbiosa del mare si ergeva un'immensa scogliera di nuda roccia, e l'unico modo di giungere in cima era risalire la scalinata, scivolosa come vetro, intagliata nella pietra.

Il maestro faceva strada e lo studente gli stava dietro scivolando e incespicando di tanto in tanto, al punto che, non fosse stato per l'aiuto del vecchio, sarebbe caduto piú di una volta andando a sfracellarsi sulle rocce piú in basso.

Finalmente arrivarono in cima, e si trovarono in un deserto senza neanche un rametto secco o un filo d'erba, fatto soltanto di pietre grigie, teschi e ossa cotte dal sole. Nel centro della pianura sorgeva un castello di cristallo dalle fondamenta sino al tetto. Era circondato da un'alta cinta di mura d'acciaio, e

lungo la parete si susseguivano sette portoni d'ottone lucidato.

Il vecchio saggio condusse il ragazzo dritto verso la porta al centro; all'arco era appeso un corno d'argento puro che il maestro si portò alle labbra. Il suono dello strumento fu cosí forte e acuto che a Gebhart fischiarono le orecchie. Un istante dopo si udí un gran rimbombo e un brontolio simile a uno scoppio di tuono, e le porte d'ottone presero lentamente ad aprirsi.

Ma quando il giovane vide quel che c'era da vedere oltre il portone, il cuore gli si fermò per la paura e le ginocchia gli cedettero: a sbarrare loro la strada c'era un drago mostruoso che emetteva dalla bocca fiamme e nuvole di fumo come un camino acceso.

Ma il maestro non si scompose: infilata la mano sotto la giacca, tirò fuori un piccolo scrigno nero che gettò immediatamente fra le terribili fauci della fiera.

Gnam! Il drago inghiottí la scatoletta e un istante dopo lanciò un grido acuto e orripilante. Sbattendo

forte le ali, si librò in aria e volò via mugghiando come un toro.

Se Gebhart era rimasto sbalordito nel vedere il castello da fuori, restò diecimila volte piú stupefatto quando ne vide l'interno: mentre il maestro faceva strada e lui lo seguiva, infatti, attraversarono

ventiquattro sale, l'una piú magnifica dell'altra. Dovunque c'erano oro, argento e pietre preziose che brillavano tanto da dover chiudere gli occhi per non restare abbagliati, e il ragazzo vide inoltre stoffe di seta e raso, velluti e merletti, cristalli, ebano e legno di sandalo dal profumo piú dolce di quello del muschio e dei petali di rosa. Tutte le ricchezze del mondo messe insieme non avrebbero mai potuto equiparare quelle che Gebhart vide con i suoi occhi nelle ventiquattro sale.

Il cuore gli batteva forte.

Alla fine giunsero davanti a una porticina di solido ferro accanto alla quale pendeva una spada dalla lama sfolgorante come una saetta. Il maestro prese l'arma con una mano e posò l'altra sul chiavistello della porta, poi si voltò verso Gebhart e parlò per la prima volta da quando era iniziato il loro lungo viaggio.

– In questa sala, – disse, – vedrai svolgersi uno strano evento. Fra poco sarò come morto e, non appena ciò accadrà, entra subito nella stanza seguente. Lí, su un tavolo di marmo, troverai una coppa d'acqua e un pugnale d'argento. Non toccare e non guardare nient'altro, perché se lo farai per noi sarà tutto perduto. Porta subito l'acqua in questa sala e spruzzamela sul viso: a missione compiuta, tu e io saremo gli uomini piú grandi e saggi che siano mai vissuti, giacché io ti renderò pari a me in tutto quanto mi è concesso sapere. Ora giura di fare quello che ti ho chiesto e di non toccare nulla nel frattempo.

– Lo giuro, – disse Gebhart con una mano sul cuore.

Allora il maestro aprí la porta ed entrò, e il ragazzo gli andò dietro.

Nel centro della sala stava un galletto rosso dagli occhi che brillavano come tizzoni ardenti. Non appena l'uccello vide il maestro, gli volò contro con un grido spaventoso sputando dal becco dardi di fuoco che fiammeggiavano e sfavillavano come fulmini.

Il maestro e il galletto si impegnarono in una tremenda battaglia: combatterono in alto e in basso, in qua e in là. A tratti l'allievo vedeva il vecchio saggio vorticare e sferrare colpi di spada, poi l'uomo veniva avvolto da una cortina di fiamme. Ma a un certo punto il maestro tirò un fendente fortunato e la testa del galletto volò via. Allora al posto dell'uccello, steso a terra morto stecchito, comparve niente meno che un enorme demone nero e villoso.

Anche se il vecchio aveva vinto, sembrava gravemente ferito. Riuscí a fatica a barcollare fino a un divano addossato alla parete, e lí cadde senza

piú muoversi o respirare, bianco cadaverico come se fosse morto.

Appena si fu ripreso dallo sgomento, Gebhart rammentò quel che il maestro gli aveva detto riguardo all'altra sala.

Anche quella porta era di ferro, e quando il giovane la aprí e la attraversò si trovò davanti due grandi tavoli quadrati di marmo lucidato. Sul primo c'erano il pugnale e una coppa d'oro traboccante d'acqua, mentre sul secondo giaceva una fanciulla. Gebhart la guardò incantato: era tanto bella che nessun pensiero e nessuna parola avrebbero potuto descriverla. Ma i suoi occhi erano chiusi, e la ragazza giaceva immobile come una statua di cera senz'anima.

Dopo averla ammirata per molto, molto

tempo, il giovane prese la coppa e il pugnale dal tavolo e si girò verso la porta.

Ma prima di uscire dalla sala pensò di dare solo un'ultima occhiata a quella splendida fanciulla. La ammirò e la rimirò finché il cuore non gli si sciolse nel petto come un pezzo di burro e allora, senza quasi sapere cosa stesse facendo, si chinò a baciarle le labbra.

Di colpo una forte musica pervase l'intero castello; il suo suono era tanto dolce e melodico che ad ascoltarlo il giovane iniziò a tremare. Poi all'improvviso la donna aprí gli occhi e lo fissò.

– Finalmente sei venuto! – esclamò.

– Sí, – disse Gebhart, – proprio cosí.

In quell'attimo la splendida fanciulla si alzò in piedi e scese dal tavolo, e se prima Gebhart l'aveva considerata bella, mille volte piú bella gli sembrò ora che aveva gli occhi fissi nei suoi.

– Ascoltami, – disse lei. – Ho dormito per centinaia e centinaia di anni, perché era scritto

che cosí dovesse accadere finché non fosse arrivato qualcuno che mi avrebbe svegliato. Tu sei quel qualcuno e adesso vivrai con me per sempre. In questo castello sono rinchiusi i tesori raccolti dal re dei geni: una ricchezza piú grande di tutte quelle esistenti sulla terra. Questo patrimonio e l'intero castello saranno tuoi: io posso trasportarli in qualunque punto del mondo tu desideri, e con le mie arti magiche ti farò principe, re o imperatore. Vieni con me.

– Aspetta, – replicò Gebhart, – devo prima fare quel che mi ha chiesto il mio maestro.

Il giovane si diresse nell'altra sala, seguito dalla ragazza, e raggiunse il divano su cui giaceva il vecchio saggio. Quando la giovane scorse il suo volto, esclamò ad alta voce: – È il grande maestro! Che cosa hai intenzione di fare?

– Gli spruzzerò quest'acqua sul viso, – rispose Gebhart.

– Non farlo! Stammi a sentire. Quelli che tieni

fra le mani sono l'acqua della vita e il pugnale della morte. Il maestro non è morto: sta solo dormendo, e se tu gli spruzzi quest'acqua addosso si risveglierà giovane, bello e piú potente del piú grande mago che sia mai vissuto sulla faccia della terra. Io stessa, questo castello e tutto quanto vi è contenuto saremo suoi, e invece di diventare un principe, un re o un imperatore, vedrai lui diventarlo al tuo posto. Credimi, è ciò che accadrà se si sveglia. Ma il pugnale della morte che stringi in mano è l'unica arma al mondo che abbia il potere di ucciderlo: non devi fare altro che colpirlo mentre dorme e non si desterà mai piú. Allora tutto questo sarà tuo.

Senza proferir parola, Gebhart rimase immobile a fissare il suo maestro. Poi posò a terra la coppa con molta delicatezza e, chiudendo gli occhi per non guardare, alzò il pugnale pronto a colpire.

– Ecco che cosa si celava dietro le tue promesse, – disse il sapiente Nicolas Flamel. – In fin dei

conti, Babette, non occorre che porti il pane e il formaggio, perché questo giovane non diventerà mio allievo.

Allora Gebhart riaprí gli occhi.

Davanti a lui, il vecchio saggio era seduto fra abachi e alambicchi, polvere e pergamene, ricette e ragnatele, e disegnava strane figure sul tavolo con fili di paglia e un pezzo di gesso.

E Babette, che aveva appena aperto la credenza per prendere la pagnotta e il formaggio, la richiuse di scatto rimettendosi subito a filare.

Cosí fu che il giovane studente dovette tornare al suo greco e al suo latino, all'algebra e alla geometria, perché dopotutto non si può versare un litro di birra in un boccale da un quarto o la sapienza di Nicolas Flamel nella testa di uno come Gebhart.

Quanto al titolo della storia, ebbene, se certe promesse sono bottiglie piene di nient'altro che d'aria, allora che senso ha dare titoli alle cose?

Le tre zie

di George Webbe Dasent

C'era una volta un pover'uomo che abitava in una capanna lontano lontano nel bosco e si procurava da vivere andando a caccia. Aveva un'unica figlia, che era molto graziosa e, avendo perso la madre quando era ancora bambina, appena fu un po' cresciuta espresse il desiderio di andare per il mondo a guadagnarsi il pane da sola.

– Ebbene, piccolina, – le disse il padre, – qui hai imparato solo a spennare uccelli e ad arrostirli, ma se vuoi puoi provare a guadagnarti da vivere a modo tuo.

Cosí la fanciulla partí per farsi una nuova vita, e dopo un breve tratto di cammino arrivò a un palazzo, dove decise di fermarsi e trovò lavoro. La regina le si affezionò tanto che tutte le altre domestiche, invidiose, si misero d'accordo e le dissero che la piccolina sapeva filare un chilo di lino in ventiquattr'ore. La regina, che era una bravissima donna di casa, aveva un'alta opinione di chi lavorava bene.

– Hai detto cosí? Allora fallo, – disse la sovrana, – ma se vuoi ti concederò un po' di tempo in piú.

La povera piccolina non osò confessare che non aveva mai filato in vita sua e chiese soltanto una stanza tutta per sé. La sua richiesta fu esaudita, e di fronte a lei furono depositati il lino e il filatoio. La fanciulla restò lí seduta in lacrime senza sapere come tirarsi fuori da quel pasticcio. Spostò il filatoio da una parte e dall'altra, lo girò e lo ruotò, ma non ne cavò fuori nulla perché non aveva mai visto un arnese simile prima d'allora.

Tutt'a un tratto entrò nella stanza una vecchia. – Cos'è che ti affligge, bambina? – le chiese.

– Ah! Parlartene non servirebbe a niente perché non potresti comunque aiutarmi.

– E chi può dirlo? Invece, magari potrei.

«Be', – pensò la piccolina, – posso anche dirglielo». E cosí le raccontò che le altre domestiche avevano riferito alla regina che lei era capace di filare un chilo di lino nell'arco di ventiquattr'ore. – E ora eccomi qui, povera me, chiusa in questa stanza a filare quel mucchio di lino in un giorno e una notte, quando non ho mai visto un filatoio in vita mia.

– Non preoccuparti, bambina, – disse la vecchia, – se mi chiamerai zia il giorno piú lieto della tua vita, io filerò tutto questo lino per te, quindi puoi anche andartene a dormire tranquilla.

La piccolina accettò la proposta e andò subito a dormire. Il mattino dopo, al risveglio, tutto il lino era stato filato, e per di piú con tanta precisione e finezza che nessuno ne aveva mai visto di cosí perfetto.

La regina fu molto contenta di ricevere un filato tanto pregiato e prese a voler bene piú che mai alla

piccolina. Le altre domestiche, sempre piú invidiose, raccontarono alla regina che la fanciulla aveva detto di essere capace di tessere il lino che aveva filato nell'arco di ventiquattr'ore. Anche quella volta la regina decise che la ragazza dovesse fare quello che aveva detto di saper fare, ma che se in ventiquattr'ore non fosse riuscita a finire le avrebbe concesso un po' di tempo in piú.

La piccolina non si azzardò a protestare e chiese una stanza tutta per sé per cimentarsi nell'impresa. Una volta sola, scoppiò a piangere e a singhiozzare: non sapeva proprio da che parte cominciare.

Ma ecco che nella stanza entrò un'altra vecchia e le chiese: – Cosa ti affligge, bambina?

Sulle prime la fanciulla esitò a rispondere, ma alla fine le raccontò tutta la storia.

– Oh, be', – disse la vecchia, – non preoccuparti. Se mi chiamerai zia il giorno piú lieto della tua vita, io tesserò tutto questo filato per te, quindi puoi dormire tranquilla.

La piccolina accettò la proposta e andò dritta a letto. Quando si svegliò, trovò sul tavolo un tessuto cosí fitto e ordinato che nessuno avrebbe potuto fare di meglio. Prese la stoffa e corse dalla regina, che fu molto contenta di ricevere un tessuto tanto bello e si affezionò piú che mai alla piccolina. Le altre domestiche invece si arrabbiarono con lei e non riuscivano a pensare ad altro che a inventare un'altra fandonia da raccontare sul suo conto. Alla fine dissero alla regina che la piccolina si era vantata di essere capace di trasformare la pezza di lino in un corredo di camicie nell'arco di ventiquattr'ore.

Ebbene, tutto andò come le prime due volte: la fanciulla non si azzardò a dire che non sapeva cucire, cosí si ritrovò di nuovo in una stanza da sola e scoppiò in lacrime. A quel punto un'altra vecchia entrò nella stanza e disse che avrebbe cucito le camicie al posto suo se lei l'avesse chiamata zia il giorno piú lieto della sua vita. La piccolina fu ben lieta di acconsentire e fece come le aveva detto la vecchia, andandosene dritta dritta a dormire. Il mattino dopo la ragazza scoprí che la pezza di lino era stata trasformata in un gran numero di camicie: era il corredo piú bello che si fosse mai visto e, come se non bastasse, su ciascuna camicia era ricamata una cifra.

Quando la regina le esaminò, fu cosí contenta di come erano state cucite che batté le mani e disse: – Un lavoro di cucito tanto perfetto non mi è mai riuscito, né mi è mai capitato di vederlo da che sono nata. Se vuoi sposare il principe, darò il consenso, perché tu sai cucire, filare e tessere da sola e non sarà necessario assumere una domestica.

La piccolina era graziosa, e il principe fu ben lieto di prenderla in moglie, perciò in men che non si dica si celebrarono le nozze. Ma proprio quando il giovane stava per sedersi assieme alla sua sposa al tavolo del banchetto nuziale, nella sala entrò una megera brutta e vecchia dal naso lunghissimo.

Subito la sposina si alzò in piedi e, con una riverenza, disse: – Buongiorno, zietta.

– Quella sarebbe la zia della mia sposa? – chiese il principe.

– Proprio cosí!

– Be', allora accomodatevi alla nostra tavola, – disse il giovane, anche se, a dire il vero, sia lui sia gli altri convitati non erano certo contenti di avere una donna del genere seduta al loro fianco.

In quel mentre nella sala entrò un'altra megera brutta e vecchia, e la sua schiena era cosí larga e gobba che fece fatica a passare dalla porta.

In quello stesso istante la sposina balzò in piedi e la salutò dicendo: – Buongiorno, zietta!

Il principe chiese se anche quella fosse la zia della sua sposa e, ricevuta una risposta affermativa, la fece accomodare. A quel punto entrò un'altra megera brutta e vecchia, dagli occhi grandi come piattini, tanto rossi e gonfi che era una pena guardarla.

Subito la sposina balzò in piedi e disse:
– Buongiorno, zietta.

Il principe la invitò ad accomodarsi, ma non

sembrava molto contento. «Che il cielo mi protegga dalle zie di mia moglie!» pensava. Dopo essere rimasto seduto in silenzio per un po', non riuscí piú a trattenersi e chiese: – Ma com'è possibile che una fanciulla tanto avvenente abbia delle zie cosí deformi?

– Alla sua età ero bella come lei, – disse la prima, – ma poiché non ho fatto altro che starmene seduta a filare e a dondolare la testa, il mio naso si è allungato ed è diventato come lo vedete ora.

– E io, – intervenne la seconda, – sono rimasta seduta a far scorrere il filo avanti e indietro cosí tanto che la mia schiena è diventata larga e gobba.

– E io, – concluse la terza, – sono stata seduta notte e giorno a guardare e a cucire, cosí i miei occhi sono diventati brutti e rossi.

– Ah! – esclamò il principe. – È stata una fortuna che sia venuto a saperlo, perché se in questo modo si può diventare tanto brutti e ripugnanti, allora la mia sposina non filerà, né tesserà, né cucirà per tutta la sua vita.

Lo sposo della topina

di Andrew Lang

Un tempo un topo che discendeva da un'antica e nobile razza viveva in Giappone assieme a sua moglie. I due avevano un'unica figlia, la fanciulla piú graziosa dell'intero Paese dei topi. I suoi genitori erano molto orgogliosi di lei e si sforzavano di insegnarle tutto quanto doveva sapere. In città non vi era damigella piú brava a rosicchiare il legno duro, a lasciarsi cadere su un letto dall'alto o a svignarsela in fretta e furia se sentiva qualcuno arrivare. I due topi riservarono molte cure anche al suo aspetto, cosicché la topina poteva vantare una pelle liscia come il raso e denti candidi come perle e straordinariamente appuntiti.

Naturalmente, con tutti questi pregi i genitori si aspettavano di trovarle un ottimo partito, cosí, quando la figlia diventò grande, presero a guardarsi attorno per cercare uno sposo adatto a lei.

Ma a quel punto sorse un problema: il padre era un topo puro dalla punta del naso a quella della coda, sia dentro sia fuori, e desiderava che la figlia trovasse un marito appartenente alla sua stessa razza. Alla topina i pretendenti non mancavano, ma in cuor suo il padre sperava in un topo giovane e bello, dai baffi tanto lunghi che quasi spazzassero il pavimento, discendente da una famiglia ancora piú nobile e antica della sua. Sfortunatamente, la madre della topina aveva altri piani per la sua preziosa figlioletta. Lei disprezzava la sua stirpe e il suo ambiente ed era

convinta di essere fatta di una stoffa migliore del resto del mondo.

– Mia figlia non sposerà mai un semplice topo, – dichiarava a testa alta. – Con la sua bellezza e il suo talento, ha tutto il diritto di aspirare a un partito migliore.

A chiunque le prestasse ascolto, la madre faceva sempre lo stesso discorso, e del parere della topina nessuno si curava o sapeva qualcosa: cosí andavano le cose in quel Paese.

A tale proposito, fra il vecchio topo e sua moglie scoppiavano spesso accese discussioni, e a volte i graffi sul loro muso lasciavano intendere che non si erano limitati a litigare a parole.

– Mira al cielo: questo è il mio motto! – esclamò un giorno la moglie, piú accalorata del solito. – La bellezza di mia figlia la eleva al di sopra di qualunque creatura esista sulla faccia della terra, – urlò, – e di certo non accetterà un marito che non sia alla sua altezza.

– E perché non offrirla direttamente in sposa al sole? – rispose spazientito il topo. – Per quanto ne so, nessuno è piú potente di lui.

– Be', è proprio quello a cui stavo pensando, – ribatté la moglie, – e visto che siamo dello stesso parere gli faremo visita domani stesso.

Cosí il mattino seguente i due topi impiegarono ore a mettersi in ghingheri e poi si incamminarono, con la figlia in mezzo a loro, per far visita al sole.

Il viaggio durò un bel po', ma alla fine giunsero al palazzo dorato dove il sole abitava.

– Nobile sovrano, – esordí la madre, – ammirate nostra figlia! È cosí bella da essere al di sopra di qualunque creatura esistente sulla faccia della terra. Naturalmente noi desideriamo un genero che, dal canto suo, sia piú potente di chiunque altro, e per questo siamo venuti a trovarvi.

– Sono lusingato, – rispose il sole, che aveva tanto da fare da non nutrire il minimo desiderio di sposarsi con chicchessia. – La vostra proposta è per

me un grande onore. Ma su una cosa vi sbagliate, e sarebbe ingiusto da parte mia approfittare della vostra ignoranza. Qualcuno piú potente di me esiste: si tratta del temporale. Guardate! – E mentre parlava una nube scura si allargò davanti al sole nascondendone i raggi.

– Oh, be', allora parleremo con il temporale, – disse la madre. E, rivolgendosi alla nube, ripeté la sua proposta.

– In verità io non sono degno di una creatura cosí perfetta, – rispose il temporale, – e anche questa volta vi state sbagliando. Qualcuno piú potente di me esiste: si tratta del vento. Ah, ecco che arriva, cosí potrete vederlo con i vostri stessi occhi.

La madre della topina lo vide bene, perché nel passare il vento afferrò la nube e la scaraventò dall'altra parte del cielo, facendo volare in aria l'intera famiglia di topi. Poi gettò il padre, la madre e la figlia di nuovo a terra e fece una breve pausa al loro fianco, con un piede appoggiato a un vecchio muro.

Non appena ebbe ripreso fiato, la madre ripeté il suo discorso da capo.

– È il muro il marito adatto a vostra figlia, – affermò il vento, che abitava in una grotta dove tornava soltanto quando non infuriava in giro da qualche parte. – Potete vederlo da sola che è piú potente di me, dal momento che è capace di bloccarmi in volo.

Allora la madre, che non faceva mistero delle sue ambizioni, si rivolse subito al muro, pronta a ripetere un'altra volta il suo discorso. In quel momento però successe una cosa che nessuno aveva previsto.

– Io quel muro brutto e vecchio come mio nonno non lo sposerò mai, – singhiozzò la topina, che per tutto il tempo non aveva detto una parola. – Con il sole mi sarei sposata, e perfino con il temporale o con il vento, perché era mio dovere, anche se io amo un bel topo giovane e lui soltanto. Ma quell'orrendo vecchio muro... piuttosto preferirei morire!

Allora il muro, ferito nei suoi sentimenti, dichiarò che non poteva pretendere di avere in moglie una creatura tanto avvenente.

– È vero, – disse, – che posso fermare il vento, il quale può scacciare il temporale, che a sua volta può coprire il sole, ma c'è qualcuno che sa fare piú di tutto questo, e si tratta del topo. È il topo che riesce a passarmi attraverso e a ridurmi in polvere con la sola forza dei propri denti. Se quindi volete un genero che sia il piú potente del mondo intero, andate a cercarlo fra i topi.

– Ah, che cosa ti avevo detto? – esclamò il topo. E la moglie, seppure un po' irritata dallo smacco subito, si convinse ben presto che un topo fosse il genero che in fondo aveva sempre desiderato.

Cosí i tre tornarono felici a casa e tre giorni dopo si celebrarono le nozze.

Il guardiano dei porci

di Hans Christian Andersen

C'era una volta un principe povero che possedeva un regno piccolissimo, ma comunque grande abbastanza da permettergli di trovare moglie; e difatti il piú grande desiderio del principe era proprio quello di sposarsi.

Certo era un po' azzardato da parte sua aspirare addirittura alla mano della figlia dell'imperatore! Il suo nome però era conosciuto in tutto il mondo e c'erano centinaia di principesse che avrebbero

accettato immediatamente, e di buon grado, di andare a vivere con lui nel suo piccolo regno; e cosí, decise di osare.

Ma come avrebbe reagito la figlia dell'imperatore? State a sentire.

Sulla tomba del padre del principe cresceva uno splendido rosaio. Fioriva soltanto una volta ogni cinque anni e anche in quell'occasione lasciava sbocciare un'unica rosa. Quella però non era una rosa qualsiasi: aveva un profumo cosí dolce che chi l'odorava dimenticava ogni preoccupazione.

Il principe possedeva anche un usignolo che cantava come se le sue corde vocali, sottili e delicate, conoscessero tutte le piú belle melodie.

Volendo donare la rosa e l'usignolo alla principessa, il principe li ripose in due grandi cofanetti d'argento e li fece recapitare a palazzo.

L'imperatore diede ordine di portarli nel salone dove la principessa si stava divertendo con le sue damigelle. Quando vide i due cofanetti, la giovane si mise a battere le mani al colmo della gioia.

– Ah, se fosse un micino! – esclamò. E invece apparve la splendida rosa dal profumo dolcissimo.

– Oh, quant'è graziosa! – esclamarono le damigelle.

– È molto piú che graziosa! – osservò l'imperatore. – È assolutamente incantevole!

Ma non appena la principessina la sfiorò, poco mancò che scoppiasse in lacrime.

– Che schifo, papà! Ma è una rosa vera, *non è finta*! – gridò, e cosí dicendo scagliò con rabbia lo splendido fiore a terra.

– *Che schifo!* – ripeterono in coro le damigelle. – È una rosa vera!

Una rosa vera infatti non era considerata preziosa a quel tempo, perché di quei fiori se ne trovavano dappertutto.

Nessuno si rese conto di quanto fosse particolare il profumo di quella rosa, nessuno si degnò di raccoglierla da terra, e presto la rosa fu dimenticata.

Piú tardi una cameriera la gettò con noncuranza nella spazzatura.

– Prima di arrabbiarci tanto, guardiamo cosa contiene l'altro cofanetto! – propose l'imperatore.

Con grande cautela aprirono l'altro cofanetto, ed ecco apparire l'usignolo.

Due paggetti andarono a prendere uno stelo d'oro che in cima reggeva un grande anello, e uno di loro vi depose l'uccellino. Per quanto fosse molto poco appariscente, l'usignolo cantò in modo cosí incomparabilmente soave che nessuno osò fare commenti sprezzanti.

Le damigelle ascoltarono il canto rapite, l'imperatore si pose commosso le mani sul petto e la principessa rimase seduta con aria assorta e non fiatò.

– *Superbe! Charmant!* – esclamarono le damigelle che amavano esprimersi in francese, peraltro una

peggio dell'altra. Volevano dire che trovavano quel canto superbo e affascinante.

Lo splendido canto dell'usignolo risuonò in ogni angolo del palazzo e nella sala giunsero sempre piú spettatori: prima il maggiordomo, poi i ministri e le cameriere personali della principessa.

– Oh, quanto mi ricorda il carillon della povera imperatrice! – esclamò un anziano ministro. – Ah, sí! Proprio lo stesso tono, la stessa interpretazione!

– Già! – fece l'imperatore scoppiando in lacrime come un bambino al ricordo della sua amata sposa, morta già da molti anni.

– Ho l'impressione che l'uccello canti come se fosse vivo! Non sarà per caso vero anche lui? – esclamò all'improvviso la principessa.

L'imperatore lo domandò ai messi che avevano portato la rosa e l'uccello.

– Certo che è un uccello vero! – risposero quelli.

– Allora lasciatelo volare via, – disse la principessa, e proibí che il principe si presentasse a corte.

I camerieri spalancarono le finestre e costrinsero l'uccello a volare via.

– Che principe maleducato! Come osa regalare una rosa vera e un usignolo vivo? – commentarono le damigelle.

Ma il principe non si lasciò intimidire. S'imbrattò il viso con del colore scuro, si calcò il cappello in testa, si recò a palazzo e bussò alla porta.

Accadde che proprio l'imperatore in persona andasse ad aprire. Il principe si levò il cappello.

– Buongiorno, Vostra Altezza! Non potrei entrare a servizio qui a palazzo?

– Be'! – fece l'imperatore pensieroso. – Sono molti quelli che vengono qui in cerca di lavoro, quindi non so se è possibile, ma mi ricorderò di te! Anzi, aspetta! M'è venuto in mente proprio in questo momento che ho bisogno di qualcuno che si occupi dei porci. Qui ci sono molti porci, moltissimi!

Cosí gli diedero per alloggio una miserabile stanzetta vicino al porcile e il principe cominciò a

lavorare come guardiano imperiale di porci. Passò la giornata a lavorare e al tramonto aveva terminato di costruire una piccola pentola con appesi, tutt'intorno all'orlo, dei buffi campanelli. Non appena nella pentola qualcosa bolliva, si mettevano a tintinnare e suonavano un'antica melodia: «*Oh, mio caro Agostino, tutto è perduto!*».

Ma, essendo per l'appunto molto speciale, la pentola aveva anche altri poteri. Se si metteva un dito nel vapore che saliva, si poteva immediatamente capire dall'odore quali cibi stavano cuocendo su ogni fornello della città. In quel momento sul fornello del sarto imperiale stavano friggendo delle salsicce. La moglie del cacciatore di corte invece stava arrostendo una pernice che suo marito si era procurato durante l'ultima partita di caccia. In casa del ciabattino stavano bollendo delle patate mentre a casa del maestro, che quel giorno compiva gli anni, rosolava a fuoco lento un pollo. Il mendicante che tutti i giorni si presentava a palazzo a chiedere l'elemosina aveva

addirittura un bel pezzo di carne succulenta nella zuppa e, come dessert, semolino e succo di frutta.

Ah, quella pentola era veramente tutt'altra cosa rispetto alla rosa vera e all'usignolo vivo!

La principessa passò di lí per puro caso mentre passeggiava con le sue damigelle e, quando udí quella melodia, si fermò ad ascoltarla. Anche lei sapeva suonare *Oh, mio caro Agostino*, anzi, quella era l'unica musica che conoscesse e la suonava con un solo dito.

– È la melodia che conosco anch'io! – esclamò. – Dev'essere un porcaio colto. Ascoltate! Andate da lui e domandategli quanto costa quello strumento. Mi piacerebbe tanto averlo!

E cosí una delle damigelle dovette andare da lui, ma prima indossò un paio di zoccoli poiché vicino ai porci c'era un gran sudiciume.

– Che cosa vuoi in cambio di quella pentola? – domandò la damigella tappandosi il naso e battendo i piedi impaziente.

– Dieci baci dalla principessa! – rispose il porcaio.

– Oh, mio Dio! – Nel sentire quella pretesa la damigella inorridí e stava per svenire.

– Non posso cederla per meno! È una pentola molto speciale! – rispose il guardiano dei porci.

La damigella se ne andò.

– Allora? Cosa ti ha risposto? – chiese la principessa.

– Non oso ripeterlo ad alta voce! – disse la damigella.

– E allora dimmelo all'orecchio! – La principessa apprese quello che il guardiano dei porci pretendeva da lei.
– Che razza d'insolente e villano! – esclamò, e stava per allontanarsi ma, dopo pochi passi, sentí di nuovo i campanelli tintinnare: «*Oh, mio caro Agostino, tutto è perduto!*».

– Ascoltate! – disse la principessa. – Andate a domandargli se accetta dieci baci dalle mie damigelle.

– No, grazie! – fu la risposta del guardiano dei porci. – Dieci baci dalla principessa, altrimenti mi tengo la mia pentola.

– Che discussione noiosa! – esclamò la principessa. – Va bene, allora voi vi metterete tutt'intorno a me, cosí nessuno potrà vedermi!

Le damigelle la circondarono allargando le loro ampie sottane. Il porcaio ricevette dieci baci e la principessa la pentola. Che gioia! La pentola bollí per tutto il giorno e in città non c'era un solo fornello su cui loro non sapessero esattamente cosa stesse cuocendo, in casa del ciambellano, del ciabattino o del sarto. Le damigelle ballavano e battevano le mani.

– Noi sappiamo chi mangerà una buona minestra e l'omelette! Sappiamo chi mangerà il semolino con il succo di frutta e chi l'arrosto! Quant'è interessante!

– Davvero molto interessante! – disse la moglie del maggiordomo di corte.

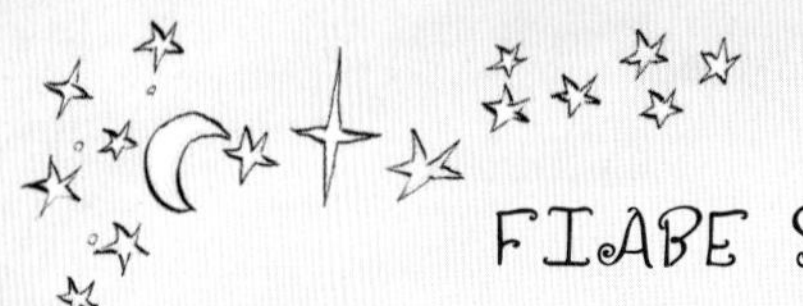

– Sí, ma acqua in bocca, perché io sono la figlia dell'imperatore!

– È ovvio! – esclamarono le donne in coro.

Non passava giorno che il guardiano dei porci (che in realtà era il principe, ma loro non lo sapevano) non fabbricasse qualcosa di nuovo; e cosí costruí una raganella che, se la si faceva roteare, produceva il ritmo di ogni genere di valzer e quadriglie di tutto il mondo.

– Fantastico! – esclamò la principessa passando di lí. – Non ho mai sentito una musica cosí bella! Ascoltatemi: ora andate da lui e chiedetegli quanto costa quello strumento.

– Vuole cento baci dalla principessa, – annunciò la damigella che era andata a informarsi.

– È completamente matto! – esclamò la principessa e fece per andarsene, ma dopo pochi passi si fermò. – Si deve pur fare qualcosa per l'arte! E io sono la figlia dell'imperatore! Ditegli che potrà avere dieci baci come ieri, gli altri li avrà dalle mie damigelle.

– Ah, ma noi non lo facciamo volentieri! – dissero in coro le damigelle.

– Sciocchezze! – replicò la principessa. – Se lo bacio io, potete baciarlo anche voi! Non dimenticate che sono io che vi garantisco vitto e alloggio!

Cosí le damigelle, volenti o nolenti, andarono da lui.

– Cento baci dalla principessa oppure ognuno si tiene quello che ha! – insistette il porcaio.

– Allora copritemi! – disse la principessa.

Tutte le damigelle la circondarono e il guardiano dei porci baciò la principessa.

– Cosa sarà mai tutta quella folla vicino al porcile? – si chiese l'imperatore che era uscito sulla terrazza. Si stropicciò gli occhi e prese gli occhiali. – Ah, sono le damigelle che stanno facendo quel baccano! Meglio andare a controllare!

Accidenti come si affrettò! Arrivato in cortile, si avvicinò con passo leggero per non farsi sentire.

– Che storia è questa? – esclamò vedendo la principessa che baciava il guardiano dei porci, e subito

si sfilò una pantofola e gliela lanciò, colpendola in testa proprio mentre stava dando l'ottantaseiesimo bacio. – Via di qui! – urlò in preda all'ira.

La principessa e il guardiano dei porci vennero immediatamente scacciati dal regno. La principessa piangeva disperata mentre il guardiano dei porci imprecava, e intanto pioveva a dirotto.

– Ah, povera me! – disse la principessa. – Se avessi accettato quel bel principe! Ah, come sono infelice!

Intanto il guardiano dei porci si era nascosto dietro un albero, si era tolto il colore scuro dal volto e aveva gettato via i suoi poveri stracci. Poco dopo ricomparve vestito come un vero principe ed era cosí affascinante che la principessa fece un profondo inchino.

– A questo punto posso provare solo disprezzo per te! – le disse. – Hai rifiutato un nobile principe, non capisci nulla di rose e usignoli, eppure sei riuscita a baciare un porcaio in cambio di una banale raganella! Ora sarai contenta!

E, detto questo, ritornò nel suo regno.

Rimasta sola, alla principessa non rimase altro che cantare: «*Oh, mio caro Agostino, tutto è perduto!*».

CAMMIN FACENDO

La fortuna di Hans

di Joseph Jacobs

Certi uomini nascono con la camicia: ogni impresa o tentativo che compiono riesce bene e tutto quel che gli capita è un guadagno: tutte le loro oche sono cigni e tutte le loro carte sono vincenti. Dovunque li si scaraventi, cadranno sempre in piedi come un gatto e ripartiranno ancora piú veloci. È probabile che il mondo non li veda come si vedono loro, ma che importanza può avere il mondo? Che cosa può saperne mai dei loro affari?

Tra queste persone fortunate c'era compare Hans: per sette lunghi anni aveva lavorato sodo per il suo padrone e alla fine disse: – Maestro, il mio tempo è scaduto. Devo andare a casa a trovare mia madre per un'ultima volta, quindi, per favore, consegnatemi la mia paga e datemi licenza di partire.

E il padrone rispose: – Sei stato un fedele servitore, Hans, e per questo ti ricompenserò con un bel premio –. Cosí gli diede un pezzo d'argento grosso come la sua testa.

Hans tirò fuori il fazzoletto, vi avvolse il pezzo d'argento, si gettò il fagotto in spalla e subito imboccò la strada di casa. Mentre procedeva con passo pigro, trascinando un piede davanti all'altro, avvistò un uomo che avanzava allegro al trotto in groppa a un sontuoso destriero.

– Ah! – esclamò Hans. – Che bello dev'essere andarsene in giro a cavallo! A proprio agio come a casa, sulla sedia accanto al caminetto, senza inciampare nei sassi, risparmiando la suola delle scarpe e arrivando a destinazione senza accorgersene.

Hans non parlò a bassa voce, per cui il cavaliere udí tutto e disse: – Be', amico, perché ve ne andate in giro a piedi allora?

– Ah, – rispose lui, – ho questo fardello da portare. Certo, è argento, ma è cosí pesante che non riesco a reggerlo sulla testa e non potete immaginare quanto mi facciano male le spalle.

– Che ne dite di fare uno scambio? – propose il cavaliere. – Io vi do il mio cavallo e voi mi regalate l'argento, cosí vi risparmierete un bel po' di fatica.

– Volentieri, – rispose Hans, – ma visto che siete cosí gentile,

mi sento in dovere di avvertirvi: sarà un'impresa molto ardua trasportare tutto questo argento.

Il cavaliere smontò di sella, prese l'argento, aiutò Hans a salire in groppa, gli passò le redini in una mano e la frusta nell'altra, poi disse: – Quando volete andare molto veloce, fate schioccare forte le labbra e urlate: «Jip!».

Hans raddrizzò la schiena, aggiustò i gomiti, spinse i talloni in fuori, diede un colpo di frusta e partí tutto allegro. Dopo un po' pensò che fosse meglio aumentare l'andatura, cosí schioccò le labbra e urlò: – Jip! –. Il cavallo partí al galoppo e, prima di poter capire cosa stesse succedendo, Hans fu sbalzato di sella e si trovò lungo disteso sul ciglio della strada. Il suo destriero sarebbe scappato via se un mandriano che passava di là tirandosi dietro una mucca non lo avesse fermato. Ben presto Hans si riprese dal colpo e, parecchio turbato, si rimise in piedi dicendo al mandriano: – Cavalcare non è uno scherzo quando ti capita la sfortuna di montare un animale come questo, che ti scaraventa a terra. Ci rinuncio! La vostra mucca mi piace molto piú di questa bestiaccia furba che, come vedete, mi ha pure rovinato il soprabito migliore facendomi cadere in una pozzanghera puzzolente. Camminare dietro una mucca è molto piú piacevole: sei sempre in compagnia e ogni giorno puoi avere latte, burro e formaggio. Che cosa non darei per un tesoro simile!

– Be', – disse il mandriano, – se vi piace cosí tanto, scambierò la mia vacca con il vostro cavallo. Anche perdendoci, è bello fare del bene al prossimo.

– Affare fatto! – disse Hans, pensando: «Che cuore nobile ha quest'uomo!». Poi il mandriano salí sul cavallo, augurò «buona giornata» e se ne andò.

Hans si spolverò il soprabito, si pulí le mani e il viso, si riposò un po' e poi, in tutta tranquillità, prese a spingere avanti la mucca, convinto di aver fatto un ottimo affare. «Anche se avrò soltanto un pezzetto di pane (e quello riuscirò sempre a procurarmelo), potrò accompagnarlo con il mio burro e con il mio formaggio ogni volta che ne avrò voglia, e quando avrò sete potrò mungere la mia vacca e bere il latte.

Che altro potrei mai desiderare?» Giunto a una locanda, si fermò, mangiò tutto il pane che gli restava e diede via la sua ultima monetina per un boccale di birra. Quando si fu riposato, si rimise in cammino, spingendo la mucca verso il villaggio di sua madre. Ma a mezzogiorno il sole si fece sempre piú rovente e, giunto in una vasta landa, cominciò a sentire tanto caldo e tanta sete che la lingua gli si attaccava al palato. «Questo problema si può risolvere, – pensò. – Se mungo la mia mucca, potrò placare la sete». Cosí legò la vacca a un ceppo e si tolse il berretto di cuoio per raccoglierci il latte, ma non riuscí a cavarne fuori nemmeno una goccia. Chi avrebbe mai pensato che quella mucca fosse tanto asciutta? A Hans non era venuto in mente di controllare.

Mentre tentava la fortuna continuando a mungere la bestia in modo assai maldestro, quella, sentendosi a disagio, si seccò e gli appioppò un calcio in faccia tale da scaraventarlo a terra. Hans rimase lí steso, privo di sensi, ma per fortuna passò di là un macellaio che trasportava un maiale in una carriola.

– Che cosa vi è successo, amico mio? – chiese il macellaio aiutandolo a rimettersi in piedi. Hans gli raccontò l'accaduto spiegandogli che aveva sete e avrebbe voluto mungere la sua vacca, ma aveva scoperto che era asciutta. Allora il macellaio gli passò un fiasco di birra dicendo: – Ecco, bevete e rinfrescatevi: la vostra mucca non vi darà mai latte. Non vedete che è vecchia e non è piú buona per nient'altro che per il macello?

– Ah, misero me! – esclamò Hans. – Chi lo avrebbe mai detto? Che infame quello che ha preso il mio cavallo e in cambio mi ha dato solo una vacca asciutta! Se la uccido, a cosa mi servirà? Io detesto la carne di manzo: per me non è abbastanza tenera. Se fosse un maiale, come questo bell'animale grasso che vi tirate dietro senza fatica, potrei farmene anche qualcosa: ne ricaverei come minimo qualche salsiccia.

– Be', – replicò il macellaio, – non mi piace dire di no a chi mi chiede una cortesia. Per accontentarvi, accetterò lo scambio e vi darò il mio bel maiale grasso per la vostra mucca.

– Che il cielo vi ricompensi della vostra generosità! – esclamò Hans prima di consegnare la vacca al macellaio e di tirare il maiale giú dalla carriola e trascinarlo via per la cordicella legata alla sua zampa. Cosí proseguí il cammino di buon passo e gli pareva che tutto andasse per il meglio: era incappato in qualche disavventura, certo, ma alla fine aveva ricevuto un ottimo risarcimento. Come poteva essere altrimenti, con il compagno di viaggio che aveva trovato?

Di lí a poco incontrò un contadino che portava in braccio una bella oca bianca. Costui si fermò a chiedere l'ora, e una frase tirò l'altra finché Hans non gli narrò tutta la sua storia fortunata, gli ottimi affari che aveva concluso e come il mondo fosse benevolo nei suoi confronti. Allora il contadino prese a raccontare di sé e disse che stava portando l'oca a un battesimo.

– Sentite quanto pesa, – disse, – eppure ha solo otto settimane. Chiunque la arrostisca e la mangi la troverà piena di grasso, tanto è pasciuta!

– Avete ragione, – ribatté Hans soppesandola, – ma quanto a grasso, il mio maiale non è certo da meno.

Il contadino gli lanciò uno sguardo serio e scosse la testa. – Ascoltatemi, degno amico mio! Sembrate un brav'uomo, quindi vi darò un buon consiglio. Il vostro maiale potrebbe mettervi nei guai. Nella stalla del signore del villaggio da cui sono appena passato hanno rubato un porco. Quando vi ho visto, avevo molta paura che la vostra bestia fosse quella rubata. Se lo è e vi scoprono, passerete un brutto quarto d'ora. Il meno che possa succedervi è che vi gettino nell'abbeveratoio dei cavalli. Voi sapete nuotare?

Il povero Hans era molto spaventato. – Buon uomo, – piagnucolò, – per favore, aiutatemi a uscire da questo guaio. Io non ho la minima idea di dove sia stato allevato questo maiale, e per quanto ne so potrebbe benissimo appartenere al signore del villaggio. Voi conoscete i dintorni meglio di me: prendete il maiale e datemi l'oca.

– In questo affare non guadagnerò nulla, – disse allora il contadino. – Un'oca grassa in cambio di un maiale! Non tutti farebbero una cosa del genere. Ma dato che siete nei guai, non infierirò –. Cosí afferrò la cordicella e si allontanò assieme al maiale lungo un sentierino, mentre Hans proseguiva il cammino senza piú preoccupazioni.

«A dire il vero, – pensò, – a quel tipo non è andata molto bene. Non mi importa a chi appartenga il maiale, ma qualunque fosse la sua origine è stato un ottimo compagno. D'altra parte, l'affare migliore è toccato a me. Per cominciare, prepareremo un arrosto coi fiocchi, poi avrò grasso d'oca a disposizione per sei mesi di fila e infine ci sono tutte queste magnifiche piume. Le infilerò nel mio guanciale e mi godrò un bel sonno saporito. Quanto sarà felice mia madre! Che me ne faccio di un maiale? Molto meglio una bella oca grassa!»

Giunto al villaggio seguente, Hans vide un

arrotino che lavorava alla sua ruota cantando. Rimase a guardarlo per un po' e alla fine disse: – Dovete passarvela proprio bene, mastro arrotino! Il vostro lavoro sembra rendervi molto felice.

– Sí, – rispose l'altro, – è assai proficuo: un bravo arrotino non si infila mai la mano in tasca senza trovarvi del denaro... Ma dove avete acquistato quell'oca?

– Non l'ho comprata: l'ho ottenuta in cambio di un maiale.

– E dove avete preso il maiale?

– L'ho avuto in cambio di una mucca.

– E la mucca?

– Me l'hanno data in cambio di un cavallo.

– E il cavallo?

– L'ho avuto in cambio di un pezzo d'argento grande come la mia testa.

– E l'argento?

– Oh! Per guadagnarmelo, ho lavorato sodo per sette lunghi anni.

– Ve la siete cavata bene nella vita, – disse allora l'arrotino, – e se ora poteste trovarvi dei soldi in tasca tutte le volte che ci infilate una mano, la vostra fortuna sarebbe completa.

– È vero, non c'è che dire, ma come si fa?

– Come? Be', dovete diventare arrotino come me. Vi serve solo una pietra per molare, il resto verrà da sé. Eccone una solo un po' rovinata dall'usura. Per darvela, chiederei in cambio la vostra oca: ci state?

– Non serve neanche chiederlo, – disse Hans, – se avessi un po' di denaro ogni volta che mi metto una mano in tasca, sarei l'uomo piú felice della terra: che cosa potrei desiderare di piú? Ecco l'oca.

– Questa è una mola eccellente – disse l'arrotino mettendogli in mano una comunissima pietra grezza raccolta da terra. – Se si usa per bene, si ottiene una lama tagliente anche da un vecchio chiodo.

Hans prese la pietra e se ne andò per la sua strada con il cuore leggero, pensando: «Devo essere nato con la camicia se tutto ciò che desidero si realizza. Queste persone sono cosí buone: si sarebbe detto che gli stessi facendo un piacere a permettere loro di farmi diventare ricco».

Dopo un po' Hans cominciò a sentirsi esausto e affamato, perché, per festeggiare, quando aveva ottenuto la mucca aveva dato via la sua ultima monetina. Alla fine, stanco di trascinare la pietra, non riuscí piú a fare un passo e si fermò sulla sponda di un fiume per bere un sorso d'acqua e riposarsi. Mise la pietra accanto a sé sulla riva, ma poi, chinatosi a bere, se ne dimenticò e la urtò, facendola ruzzolare giú finché precipitò tra i flutti.

Per qualche istante restò a guardarla affondare in quelle acque chiare e profonde, poi balzò in piedi e si mise a ballare per la gioia, prima di ricadere nuovamente in ginocchio e di ringraziare il cielo, con le lacrime agli occhi, per essere stato tanto benevolo da privarlo della sua unica afflizione, quell'orrenda pietra pesante. – Come sono felice! – esclamò. – Nessuno è mai stato fortunato come me –. Detto questo, si rialzò con il cuore leggero e, libero da qualunque preoccupazione, riprese il cammino che lo condusse a casa di sua madre, dove raccontò alla povera donna come fosse dritta la strada che porta alla fortuna.

Il vento e il sole

di James Baldwin

Un giorno tra il vento e il sole scoppiò una disputa su chi dei due fosse il piú forte.

– Vedi quel viandante che arranca lungo la strada? – disse il vento. – Misuriamo la nostra forza su di lui. Il primo che riuscirà a togliergli il mantello sarà il vincitore.

– D'accordo, – rispose il sole.

Il vento cominciò per primo, e soffiò una raffica

tale che le foglie vorticarono, sulla strada si alzarono nuvole di polvere, la cima degli alberi si piegò fino a terra e una quercia fu sradicata dal terreno. Ma il viandante si limitò a stringersi un po' di piú nel mantello e proseguí il cammino.

Poi fu il turno del sole,

che spuntò da dietro una nuvola e prese a inondare con i suoi raggi la testa e la schiena del viandante. Ben presto il calore fu tale che l'uomo si fermò ad asciugarsi il sudore dalla fronte.

– Ah! Che caldo! – disse. Poi si tolse il mantello e, tenendolo sotto il braccio, si avvicinò a un albero che cresceva sul ciglio della strada e si sedette per rinfrescarsi all'ombra.

Da quel giorno il vento smise di affermare che era piú forte del sole.

La pagliuzza, il tizzone e il fagiolo

dei fratelli Grimm

Viveva una volta in un villaggio un'anziana signora che aveva messo insieme una porzione di fagioli e voleva cucinarli, cosí accese il fuoco nel caminetto.

Per attizzarlo in fretta, vi aggiunse una manciata di paglia, e mentre versava i fagioli nella pentola uno di questi cadde a terra senza che lei lo notasse e finí vicino a un filo di paglia. Dopo un po' un tizzone ardente balzò fuori dal caminetto e gli atterrò accanto.

La pagliuzza domandò: – Amici, da dove venite?

Il tizzone rispose: – Sono saltato fuori dal caminetto, per fortuna. Se non avessi trovato il modo di uscirne, sarei di certo morto, perché mi sarei ridotto in cenere.

Il fagiolo disse: – Anch'io mi sono salvato la pelle. Se la vecchia signora mi avesse gettato nella pentola, sarei stato cotto senza pietà finendo in poltiglia come i miei compagni.

– Pensate che la mia sorte sarebbe stata piú felice? – ribatté la pagliuzza. – La signora ha mandato in fumo tutte le mie sorelle: ne ha afferrate sessanta e gli ha dato fuoco uccidendole. Per fortuna, io le sono scivolata fra le dita.

– E adesso che cosa facciamo? – chiese il tizzone.

– Dato che abbiamo avuto la fortuna di sfuggire alla morte, – rispose il fagiolo, – penso

che dovremmo unire le forze da bravi compagni. Per evitare che ci capiti qualche nuova sventura, mettiamoci in marcia verso un altro Paese.

Agli altri la proposta piacque e i tre si incamminarono insieme.

Ben presto giunsero a un piccolo ruscello e, non essendovi né ponti né passerelle in vista, non sapevano come attraversarlo.

Allora la pagliuzza ebbe un'idea e disse: – Io mi stenderò sopra il ruscello e voi potrete camminare su di me come se fossi un ponte.

Cosí la pagliuzza si allungò tra una sponda e l'altra e il tizzone, che era una vera testa calda, salí sul ponte appena costruito senza pensarci due volte, ma quando si trovò al centro e udí le acque turbinare sotto di lui si fermò in preda al panico e non ebbe piú il cuore di fare un passo. Allora la pagliuzza prese fuoco, si spezzò in due e cadde nel ruscello, e il tizzone scivolò giú sibilando, precipitò in acqua e si spense.

Il fagiolo, che per prudenza era rimasto a terra,

non poté fare altro che scoppiare a ridere. Però, non riuscendo a smettere, sghignazzò fino a esplodere. Anche lui sarebbe morto, ma fortunatamente proprio lí vicino al ruscello riposava un sarto girovago che, avendo un animo compassionevole, tirò fuori ago e filo e lo ricucí per bene.

Il fagiolo lo ringraziò di cuore, ma dato che l'uomo aveva usato un filo nero, da quel giorno tutti i fagioli hanno nel centro una linea dello stesso colore.

Le due sorelle

di Flora Annie Steel

C'erano una volta due sorelle che si assomigliavano come due piselli in un baccello, ma una era buona e l'altra aveva un pessimo carattere. Dato che il padre non aveva lavoro, entrambe cominciarono a pensare di cercare una casa in cui andare a servizio.

– Partirò io per prima e vedrò cosa succede, – disse la piú piccola con il sorriso sulle labbra, – poi, sorella mia, se avrò fortuna tu potrai seguirmi.

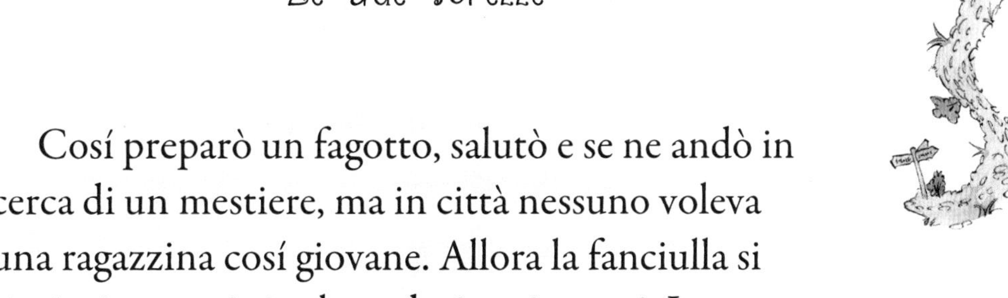

Cosí preparò un fagotto, salutò e se ne andò in cerca di un mestiere, ma in città nessuno voleva una ragazzina cosí giovane. Allora la fanciulla si rimise in marcia inoltrandosi tra i campi. Lungo il cammino si imbatté in un forno in cui stava cuocendo una teglia di pagnotte.

Mentre vi passava davanti, le pagnotte gridarono in coro: – Bambina! Bambina! Tiraci fuori, per favore! Stiamo cuocendo da sette anni e nessuno è mai venuto a tirarci fuori di qui. Tiraci fuori, altrimenti ci bruceremo!

Allora, essendo buona e gentile, la ragazzina si fermò, mise giú il suo fagotto, tirò fuori le pagnotte e si rimise in cammino dicendo: – Ora sarete piú a vostro agio.

Dopo un po' la fanciulla si imbatté in una mucca che muggiva piano accanto a un secchio vuoto e che quando la vide le disse: – Bambina! Bambina! Mungimi, per favore! Aspetto da sette anni, e nessuno è mai venuto a mungermi!

Allora la ragazzina gentile mise giú il fagotto,

munse la mucca fino a riempire il secchio e si rimise in viaggio dicendo: – Ora sarai piú a tuo agio.

Poco dopo la fanciulla si imbatté in un melo cosí carico di frutti che i suoi rami erano sul punto di spezzarsi, e l'albero le urlò: – Bambina! Bambina! Per favore, scuoti i miei rami. Queste mele sono cosí pesanti che non riesco a stare dritto!

Allora la ragazzina gentile si fermò, mise giú il suo fagotto e scosse i rami finché le mele non furono cadute e l'albero poté stare dritto. Dopodiché si rimise in marcia dicendo: – Ora sarai piú a tuo agio.

Cosí la fanciulla proseguí il cammino finché giunse davanti a una casa dove viveva una vecchia strega che cercava una domestica e prometteva una buona paga. La ragazzina accettò quindi di fermarsi da lei. Doveva spazzare il pavimento e tenere la casa pulita e in ordine e il fuoco sempre vivo e allegro. Ma c'era una cosa che la strega le disse di non fare mai, e quella cosa era guardare su nella cappa del camino.

– Se lo fai, – disse la vecchia megera, – qualcosa ti cadrà addosso e farai una brutta fine.

Ebbene, la bambina spazzò, spolverò e accese il fuoco, ma non vide mai nemmeno un centesimo in cambio delle sue fatiche. Un giorno decise che voleva tornare a casa perché stare a servizio dalla strega non le piaceva affatto: infatti, la fattucchiera mangiava bambini bolliti a cena e seppelliva le loro ossa sotto le pietre del giardino. Però la fanciulla non voleva tornare a casa senza un soldo, cosí rimase lí e spazzò, spolverò e fece il suo lavoro proprio come se le piacesse.

Poi un giorno, mentre puliva il focolare, dall'alto cadde un po' di fuliggine e, dimenticando che le era stato vietato di guardare su, alzò gli occhi per vedere da dove fosse arrivata quella polvere nera. E proprio in quel momento un grosso sacco di monete d'oro le piombò in grembo.

Caso volle che la strega fosse uscita per una commissione, cosí la fanciulla pensò che quella fosse l'occasione ideale per svignarsela.

Allora si tirò su la gonna e si mise a correre verso casa, ma non era arrivata lontano quando udí la strega inseguirla a cavallo della sua scopa. A quel punto il melo che aveva raddrizzato era molto vicino, cosí la ragazzina si precipitò da lui ed esclamò:

Oh, grande melo, ti prego di aiutarmi!
Fa' che la strega non possa trovarmi.
Vuole ridurmi in un mucchio di ossa:
sotto le pietre starà la mia fossa.

Allora il melo disse: – Ma certo. Tu mi hai aiutato a raddrizzarmi e i favori vanno sempre ricambiati –. Cosí la nascose per bene tra i suoi rami rigogliosi fin quando la strega passò di là dicendo:

Albero grande, bel melo imponente,
hai mica visto una bimba da niente?
Lesta e stracarica di zecchini d'oro,
lei mi ha rubato un prezioso tesoro.

Allora l'albero rispose:

Di qui nessuno è mai passato
in sette anni che ho guardato!

Cosí la strega volò dalla parte sbagliata e la ragazzina scese dall'albero, lo ringraziò cortesemente e si rimise in marcia. Ma quando stava per arrivare nel punto in cui c'erano la mucca e il secchio, udí di nuovo la strega avvicinarsi, cosí corse dalla mucca ed esclamò:

Oh, cara mucca, ti prego di aiutarmi!
Fa' che la strega non possa trovarmi.
Vuole ridurmi in un mucchio di ossa:
sotto le pietre starà la mia fossa.

– Ma certo, – rispose la mucca. – Non mi hai forse munto per farmi stare meglio? Nasconditi dietro di me e sarai al sicuro.

La strega passò di là in volo dicendo alla mucca:

Oh, bella mucca dal latte nutriente,
hai mica visto una bimba da niente?
Lesta e stracarica di zecchini d'oro,
lei mi ha rubato un prezioso tesoro.

La mucca si limitò a rispondere con garbo:

Di qui nessuno è mai passato
in sette anni che ho guardato!

Allora la strega proseguí nella direzione sbagliata e la ragazzina riprese il cammino verso casa, ma quando stava per arrivare al forno si sentí quella brutta e vecchia megera di nuovo alle calcagna, cosí corse piú veloce che poté fino al forno ed esclamò:

Oh, forno caldo, ti prego di aiutarmi!
Fa' che la strega non possa trovarmi.
Vuole ridurmi in un mucchio di ossa:
sotto le pietre starà la mia fossa.

E il forno disse: – Mi spiace, ma non ho spazio per farti entrare perché sto cuocendo un'altra teglia di pagnotte, ma laggiú c'è il panettiere: chiedi a lui.

Cosí la ragazzina chiese al panettiere e lui disse: – Ma certo. Tu hai evitato che la mia ultima informata di pane si bruciasse, quindi corri nel panificio: lí sarai al sicuro e io mi occuperò della strega.

Lei andò a nascondersi nel panificio, e fece appena in tempo, perché subito dopo comparve la fattucchiera che strillò infuriata:

Ehi, tu, brav'uomo, bell'uomo possente,
hai mica visto una bimba da niente?
Lesta e stracarica di zecchini d'oro,
lei mi ha rubato un prezioso tesoro.

Allora il panettiere rispose: – Guarda nel forno, potrebbe essere lí.

La strega, scesa dalla sua scopa, sbirciò nel forno senza vedere nulla.

– Infilati dentro e guarda nell'angolo piú nascosto, – spiegò l'astuto panettiere. E non appena la strega lo fece, *sbang!* le sbatté la porta sul grugno e lei rimase lí dentro ad arrostirsi. Quando uscí assieme al pane era tutta croccante e marroncina, e con gran fatica se ne tornò a casa per spalmarsi di crema dalla testa ai piedi!

La ragazzina buona e gentile, invece, tornò sana e salva dalla sua famiglia con il sacco di monete d'oro.

Ma la sorella maggiore dal brutto carattere era molto invidiosa della sua buona sorte e decise di andare a cercare un sacco di monete tutto per sé. Cosí preparò a sua volta un fagotto e si mise in cammino sulla stessa strada per cercare una casa in cui andare a servizio. Quando però giunse al forno e le pagnotte la implorarono di tirarle fuori perché cuocevano da sette anni ed erano sul punto

di bruciarsi, lei scosse la testa e disse: – E già: voi siete proprio convinte che io mi brucerei le dita per salvarvi dal fuoco? Grazie mille, preferisco di no!

Detto questo, la fanciulla proseguí il cammino finché si imbatté nella mucca che attendeva di essere munta accanto al secchio. Ma quando la mucca disse: – Bambina! Bambina! Mungimi, per favore! Aspetto da sette anni di essere munta, – lei rispose con una risata: – Per quel che me ne importa, puoi aspettarne altri sette. Non sono mica la tua mungitrice!

Proseguí il cammino finché non si imbatté nel melo, tutto carico di frutti. Ma quando quello la pregò di scuotere i suoi rami, lei scoppiò a ridere e, raccolta una mela matura, disse: – A me ne basta una: le altre puoi tenertele! –. Dopodiché riprese il cammino masticando la mela finché non arrivò alla casa della strega.

Anche se non era piú croccante e marroncina come appena uscita nel forno, la strega era tremendamente arrabbiata con tutte le bambine e aveva deciso che da quella non si sarebbe lasciata imbrogliare. Cosí per molto tempo non uscí di casa e la sorella dal brutto carattere non ebbe mai l'occasione di guardare nel camino come avrebbe voluto fare fin dall'inizio; fu invece costretta a spolverare, pulire, lavare e spazzare sempre di piú, finché non fu davvero esausta.

Un giorno che la strega era andata in giardino a seppellire le ossa, però, la ragazzina colse l'attimo, guardò nel camino ed ecco che subito un sacco di monete d'oro le piombò in grembo!

Allora se la svignò in un battibaleno, e corse e corse finché non arrivò davanti al melo, poi si accorse che la strega la stava inseguendo. A quel punto esclamò, come sua sorella:

Oh, grande melo, ti prego di aiutarmi!
Fa' che la strega non possa trovarmi.
Vuole ridurmi in un mucchio di ossa:
sotto le pietre starà la mia fossa.

Ma l'albero rispose: – Qui non c'è spazio! Ci sono troppe mele –. Perciò lei dovette rimettersi a correre. Quando la strega giunse a cavallo della sua scopa urlò:

Albero grande, bel melo imponente,
hai mica visto una bimba da niente?
Lesta e stracarica di zecchini d'oro,
lei mi ha rubato un prezioso tesoro.

E il melo rispose:

Qui da me poco fa è passata,
e laggiú in fondo se n'è andata.

Allora la strega la inseguí, la acciuffò, le diede una bella bastonata, si riprese il sacco di monete d'oro e la rimandò a casa senza un centesimo di ricompensa per tutto quello che aveva spolverato, pulito, lavato e spazzato.

Curiosità

di Kate Douglas Wiggin

C'era una volta un uomo che aveva tre figli: Pietro, Paolo e l'ultimogenito, che tutti chiamavano Piccolo. Non si può certo dire che quest'uomo possedesse altro oltre ai suoi tre figli, perché in tasca non aveva nemmeno un centesimo. Per questo disse ai ragazzi piú e piú volte che avrebbero dovuto mettersi in viaggio e trovare un modo di guadagnarsi il pane, perché a casa non c'era nulla da fare tranne che morire di fame.

Bisogna sapere che nei pressi della casetta di quell'uomo sorgeva il palazzo del re, e proprio davanti alle sue finestre era cresciuta un'immensa quercia, cosí alta e imponente da oscurare del tutto la luce del sole. Il re aveva fatto sapere che avrebbe donato enormi tesori all'uomo che fosse riuscito ad abbattere l'albero, ma nessuno si era dimostrato capace di portare a termine quell'impresa, perché non appena dal tronco della quercia si staccava una scheggia al suo posto ne crescevano due.

Inoltre, il sovrano desiderava anche un pozzo che restasse pieno d'acqua per un anno intero, poiché tutti i suoi vicini ne avevano uno e lui invece no, e di questo era molto dispiaciuto. Cosí annunciò che avrebbe dato denaro e proprietà a chiunque fosse riuscito a scavargli un pozzo che restasse pieno d'acqua per tutto l'anno, ma nessuno vi riuscí, perché il palazzo sorgeva sulla cima di una collina e dopo aver scavato appena qualche centimetro tutti si imbattevano nella dura roccia.

Non riuscendo a togliersi dalla testa quei due desideri, il sovrano fece girare voce in lungo e in largo, in tutti i villaggi del suo reame, che chi fosse riuscito ad abbattere la grande quercia nel cortile del re e a procurargli un pozzo che restasse pieno d'acqua per un anno intero avrebbe avuto la principessa e metà regno.

Ebbene, potete facilmente figurarvi il gran numero di persone che arrivarono a palazzo per tentare la fortuna, ma per quanto tagliassero e spaccassero, e per quanto scavassero e spalassero, tutti i loro sforzi furono vani. La quercia diventava piú alta e imponente a ogni colpo d'ascia e la roccia non si ammorbidiva di certo.

Cosí un giorno i tre fratelli pensarono di mettersi in viaggio per cimentarsi nell'impresa, e il padre non aveva nulla da ridire perché, anche se non avessero ottenuto la mano della principessa e metà regno, poteva comunque succedere che trovassero un impiego presso un bravo padrone, e lui non desiderava altro. Quando i tre ragazzi gli annunciarono la loro intenzione di andare a palazzo, lui si disse subito d'accordo, e Pietro, Paolo e Piccolo uscirono di casa e si misero in cammino. Non erano andati lontano quando si trovarono di fronte a un bosco di abeti che su un lato risaliva il versante di una ripida collina, e mentre camminavano udirono qualcosa tagliare e spaccare con foga il legno degli alberi sulla vetta.

– Sono curioso di sapere che cosa sta spaccando la legna lassú in cima, – disse Piccolo.

– Pensi di essere furbo a farti tutte queste domande? – risposero Pietro e Paolo in coro. – Dicci un po': cosa ci sarà di tanto curioso in un taglialegna che spacca i rami sulla cima di un colle?

– Comunque io voglio sapere di cosa si tratta, – ribatté Piccolo incamminandosi verso la vetta.

– Oh, sei cosí infantile! Ma vai pure. Almeno imparerai una lezione, – gli urlarono dietro i fratelli.

Senza curarsi delle loro parole, Piccolo seguí il rumore inerpicandosi lungo la ripida salita, e che cosa vide quando giunse alla meta? Un'ascia che, tutta sola, tagliava e spaccava il tronco di un abete.

– Buongiorno, – disse lui, – cosí te ne stai quassú tutta sola a spaccare la legna?

– Sí, ragazzo mio, è da molto, molto tempo che me ne sto qui a tagliare e a spaccare in attesa del tuo arrivo, – rispose l'ascia.

– Be', adesso ci sono io, – disse Piccolo prendendo l'ascia in mano, staccandola dal manico e infilandosi i due pezzi nella bisaccia.

Quando tornò dai fratelli, quelli presero a schernirlo e a ridere di lui.

– Allora, cos'hai trovato in cima alla collina? – chiesero.

– Oh, quella che sentivamo era soltanto un'ascia, – rispose Piccolo.

Dopo un altro breve tratto di strada i tre udirono qualcosa scavare e spalare.

– Sono curioso di sapere che cosa sta scavando e spalando sulla cima di quella rupe, – disse Piccolo.

– Ah, pensi di essere furbo a farti tutte queste domande? – ripeterono Pietro e Paolo. – Come se non avessi mai sentito un picchio che se ne sta aggrappato a un tronco cavo e percuote il legno con il becco.

– Be', – ribatté Piccolo, – penso che sarebbe proprio divertente scoprire di cosa si tratta.

Cosí il ragazzo prese ad arrampicarsi sulla rupe mentre gli altri lo schernivano e ridevano di lui. Ma il ragazzo non se ne curò affatto e si inerpicò fino alla cima. Quando fu quasi arrivato, che cosa vide se non un badile che, tutto solo, scavava e spalava?

– Buongiorno, – disse Piccolo, – cosí te ne stai quassú tutto solo a scavare e a spalare?

– Proprio cosí, ragazzo mio, – ribatté il badile, – è quel che faccio da molti giorni in attesa del tuo arrivo.

– Be', eccomi qui, – disse Piccolo prendendo il badile in mano, staccandolo dal manico e infilando tutto nella bisaccia.

Poi tornò dai suoi fratelli.

– Allora, che cos'hai trovato di cosí strano e raro sulla cima della rupe? – domandarono Pietro e Paolo.

– Oh, – rispose Piccolo, – nient'altro che un badile: era quello che sentivamo.

Cosí proseguirono per un bel pezzo di strada finché non giunsero a un ruscello. Dopo tanto camminare, i tre avevano sete e si sedettero sulla riva per bere un sorso d'acqua.

– Voglio vedere da dove viene questo ruscello, – disse Piccolo.

Il ragazzo prese a risalire il corso d'acqua senza curarsi di quel che i fratelli gli urlavano dietro. Nulla poteva fermarlo.

E mentre saliva e saliva, il ruscello rimpiccioliva sempre di piú, finché, un po' piú in là, che cosa vide Piccolo se non una grande noce e un rivolo d'acqua che usciva dal guscio?

– Buongiorno, – disse lui. – Cosí te ne stai qui tutta sola a stillare acqua e a sgocciolare?

– Proprio cosí, ragazzo mio, – rispose la noce, – e

ho stillato acqua e ho sgocciolato per molti giorni in attesa del tuo arrivo.

– Be', eccomi qui, – ribatté Piccolo prendendo un pezzo di muschio per tappare il foro in modo che l'acqua smettesse di uscire. Dopodiché infilò la noce nella bisaccia e tornò di corsa dai suoi fratelli.

– Allora, – dissero Pietro e Paolo, – hai scoperto da dove viene l'acqua? Dev'essere stato proprio uno spettacolo straordinario!

– Oh, dopotutto non usciva che da un foro, – rispose Piccolo, e gli altri lo schernirono e risero di lui, ma il ragazzo non se ne curò affatto.

Dopo un altro breve tratto di strada giunsero al palazzo del re, dove erano già accorsi tutti gli abitanti del regno, avendo sentito che bastava abbattere la grande quercia e scavare un pozzo per conquistare la mano della principessa e mezzo reame. In tanti tentavano la fortuna, ma l'albero era ormai due volte piú grosso e imponente di prima, perché, come ricorderete, ogni volta che le asce staccavano una scheggia, al suo posto ne crescevano due.

Il re aveva allora stabilito che a chiunque tentasse di abbattere la quercia senza riuscirvi per punizione sarebbero state staccate le orecchie dalla testa; poi sarebbe stato portato su un'isola brulla. Ma i due fratelli maggiori non si lasciarono intimidire da quella minaccia, perché erano sicuri di poter abbattere la quercia. Pietro, che era il piú grande, si cimentò per primo nell'impresa, ma non ebbe piú successo di tutti gli altri che avevano cercato di tagliare l'albero, perché per ogni scheggia che staccava subito ne crescevano due. Allora gli uomini del re lo acciuffarono, gli staccarono entrambe le orecchie dalla testa e lo portarono sull'isola.

Dopodiché toccò a Paolo tentare la fortuna, ma il giovane non se la cavò meglio degli altri. Dopo due o tre colpi della sua ascia, la quercia diventò piú grande, cosí gli uomini del re acciuffarono anche lui, gli staccarono le orecchie dalla testa e lo portarono sull'isola, e a lui tagliarono le orecchie ancora piú a fondo, perché pensarono che avrebbe dovuto imparare la lezione da suo fratello.

A quel punto era il turno di Piccolo.

– Se vuoi assomigliare a una pecora marchiata a fuoco, siamo pronti a tagliarti le orecchie qui seduta stante per farti risparmiare un po' di fatica, – disse il re, che ce l'aveva con lui a causa dei suoi fratelli.

– Be', prima preferirei provare, – rispose Piccolo, e il permesso gli fu concesso. Allora il ragazzo tirò fuori l'ascia dalla bisaccia e la fissò al suo manico.

– Spacca la legna! – le disse Piccolo, e quella prese a colpire il tronco facendo volare le schegge in aria, finché, poco dopo, la quercia cadde a terra.

Quando ebbe finito, Piccolo tirò fuori il badile e lo fissò al manico.

– Scava un pozzo! – gli ordinò, e quello prese a scavare e a spalare, finché la terra e la roccia volarono tutt'intorno in piccoli pezzi e ben presto, che ci crediate o no, il pozzo del re fu abbastanza capiente.

Quando fu largo e profondo come voleva, Piccolo tirò fuori la noce, la sistemò in un angolo del pozzo e tolse il tappo di muschio.

– Stilla e sgocciola, – disse il ragazzo, e la noce prese a stillare e a sgocciolare, finché l'acqua fuoriuscí dal foro in un rivolo che in breve tempo riempí il pozzo.

Cosí, dal momento che Piccolo aveva abbattuto la quercia che faceva ombra al palazzo del re e aveva scavato un pozzo nel cortile, ottenne la mano della principessa e metà regno proprio come il sovrano aveva promesso, e fu una fortuna che Pietro e Paolo avessero perso le orecchie, altrimenti non ne avrebbero potuto piú di sentire tutti ripetere a ogni ora del giorno: – Be', dopotutto Piccolo non era tanto folle ad assecondare la sua curiosità.

CHE ASSURDITÀ!

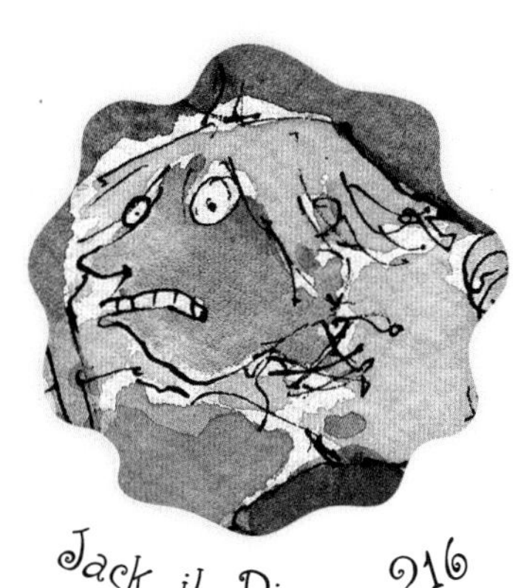

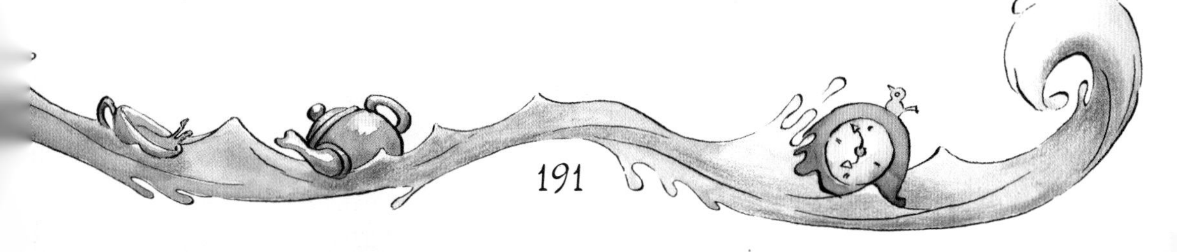

La principessa altezzosa

di Patrick Kennedy

C'era una volta un re molto rispettabile che aveva una figlia bella come non se ne erano mai viste sulla faccia della terra ma orgogliosa come Lucifero, tanto che nessuno era riuscito a farsi concedere la sua mano. Alla fine il padre si stufò e pregò tutti i re, i principi, i duchi e i conti, conosciuti o sconosciuti, di andare a corte per offrirle un'altra possibilità. Gli invitati arrivarono

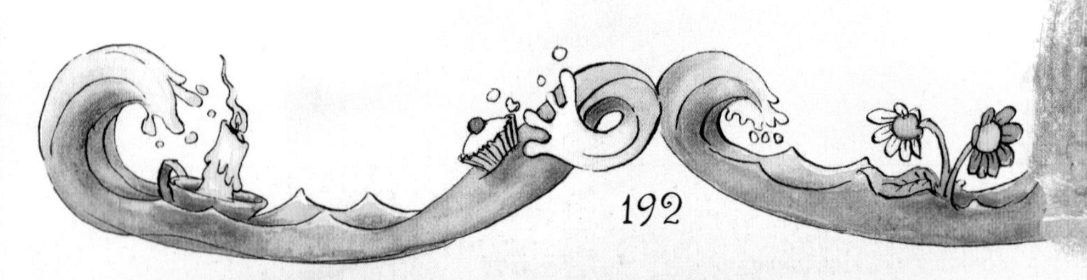

e il giorno dopo, al termine della prima colazione, si misero in fila sul prato mentre la principessa li passava in rassegna per fare la sua scelta.

Uno era grasso e lei disse: – Non ti voglio, palla di lardo!

Uno era alto e magro, e lei disse: – Non ti voglio, manico di scopa!

A un signore dal volto pallido disse: – Non ti voglio, muso di becchino!

E a uno dalle guance paonazze: – Non ti voglio, cresta di gallo!

La fanciulla si fermò un po' di piú davanti all'ultimo invitato, che era piuttosto bello. Cercò di trovargli un difetto, ma il giovane non aveva niente di strano a parte un pizzetto bruno e ricciuto sotto il mento. Dopo averlo rimirato per un po', la principessa se la cavò con un: – Non ti voglio, barbetta!

Cosí tutti se ne andarono, e il re era cosí contrariato che le disse: – Ora, per punire la tua impudenza, ti darò in moglie al primo mendicante o al primo perdigiorno che viene a cantare sotto la tua finestra.

Il mattino dopo un povero straccione con i capelli lunghi fino alle spalle e il volto ricoperto da una folta barba rossa giunse a palazzo e si mise a cantare sotto la finestra del salottino della principessa.

Quando la serenata fu finita, le porte della stanza si aprirono, il cantante venne invitato a entrare, fu mandato a chiamare il prete e la principessa andò in sposa a Barbarossa. Lei urlò e strepitò, ma suo padre non le prestò la minima attenzione. – Ecco cinque ghinee, – disse invece allo sposo, – prendi tua moglie e vattene, in modo che io non debba mai piú vederla.

Cosí lui la portò via e lei si rattristò molto. Le uniche cose che le dessero sollievo erano il tono di voce del marito e le sue maniere gentili.

– Di chi è questa foresta? – domandò mentre attraversavano un bosco.

– È del re che ieri hai chiamato barbetta, – fu la risposta, la stessa che ricevette riguardo ai pascoli, ai campi di grano e, infine, a una splendida città.

«Ah, che sciocca, sono stata! – si disse la fanciulla. – Era un bell'uomo, e avrei potuto avere lui per marito».

Alla fine i due giunsero a una misera capanna.

– Perché mi hai portato qui? – chiese la damigella.

– Questa casa era mia, – rispose lui, – e ora è tua.

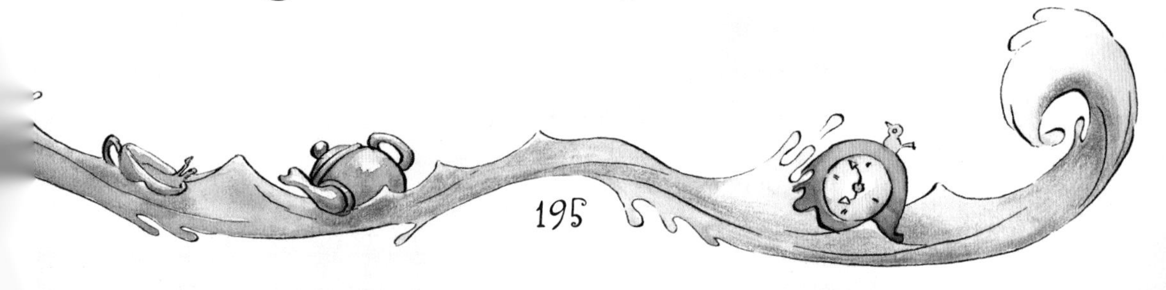

Allora lei scoppiò in lacrime, ma essendo stanca e affamata, entrò assieme a lui. All'interno non c'erano né una tavola apparecchiata né un fuoco, e la principessa fu costretta ad aiutare il marito ad accenderlo, a preparare la cena e piú tardi a rigovernare. Il giorno dopo lui le fece indossare un vestito di lana e un grembiule di cotone. Quando la fanciulla ebbe finito di pulire la casa e non vi furono piú faccende di cui occuparsi, il marito portò a casa un fascio di rami di salice, li scorticò e le insegnò a intrecciare una cesta. Ma i duri ramoscelli le graffiarono le dita delicate e lei scoppiò a piangere. Allora lui le chiese di rammendare i vestiti, ma l'ago le fece sanguinare i polpastrelli e lei pianse di nuovo.

L'uomo non sopportava di vederla in lacrime, cosí andò a prendere una cesta di pignatte di terracotta e la mandò al mercato a venderle. Quella prova era la piú difficile di tutte, ma lei era cosí graziosa e afflitta e aveva un'aria tanto raffinata che tutte le pentole, le brocche, i piatti e i vassoi furono venduti prima di mezzogiorno.

Suo marito fu cosí contento che il giorno dopo la mandò al mercato con un'altra cesta. Stavolta però la fortuna la abbandonò: un cacciatore ubriaco giunse a cavallo e la investí assieme al suo vasellame, che andò tutto in frantumi. La fanciulla tornò a casa in lacrime e suo marito non fu per niente contento. – Vedo che non sei adatta a questo mestiere, – disse. – Vieni con me: ti troverò un posto a palazzo come sguattera. Conosco la cuoca.

Cosí la poverina fu costretta un'altra volta a deporre l'orgoglio. Aveva sempre molto da fare e alla sera tornava a casa dal marito e gli portava, avvolta in un semplice foglio di carta che teneva in tasca, la sua misera paga fatta di avanzi e resti di cibo.

Quando già lavorava da una settimana, nella cucina scoppiò un gran trambusto. Il re stava per celebrare le sue nozze, ma nessuno sapeva chi sarebbe stata la sposa. A sera la cuoca riempí le

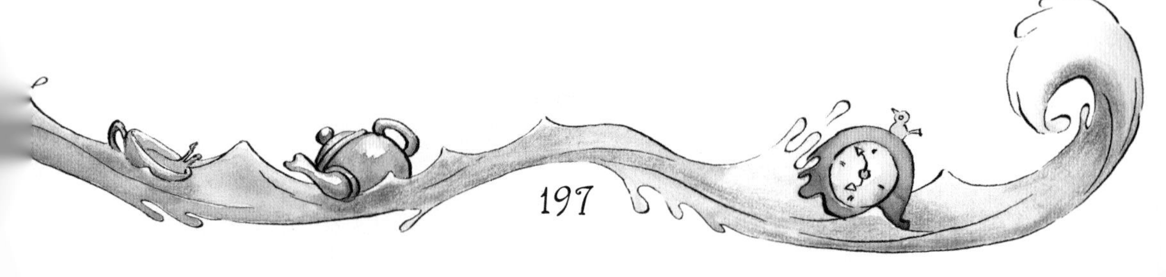

tasche della principessa con un po' di carne fredda e qualche dolcetto, poi le disse: – Prima di andartene, che ne dici di dare un'occhiata ai grandi preparativi nel salone delle feste?

Cosí le due donne si avvicinarono alla porta per sbirciare nella sala e si trovarono davanti il re in persona, bello come il sole. Ed era proprio barbetta.

– La vostra graziosa aiutante pagherà per aver sbirciato, – disse il sovrano alla cuoca non appena le ebbe scoperte. – Ora dovrà danzare il salterello con me.

Volente o nolente, la principessa fu presa per mano e condotta nel centro del salotto. Allora i flautisti intonarono un motivetto, e il re trascinò la fanciulla in un vivace ballo. Ma dopo appena due salti dalle tasche del suo grembiule volarono fuori la carne e i dolcetti. Tutti scoppiarono a ridere e la principessa uscí di corsa dalla porta piangendo. In men che non si dica, però, il re la raggiunse e la riportò nel salone.

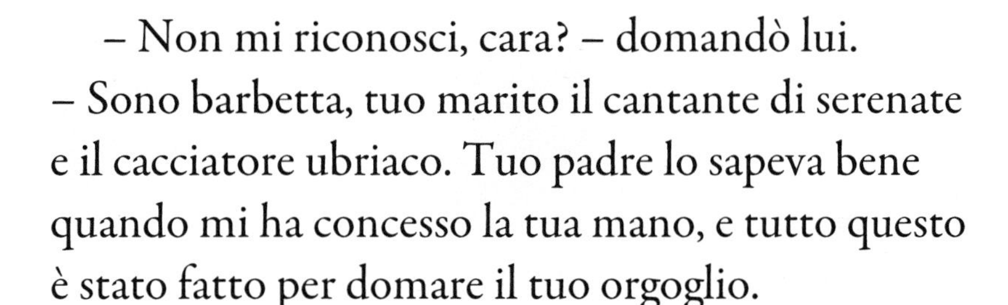

– Non mi riconosci, cara? – domandò lui. – Sono barbetta, tuo marito il cantante di serenate e il cacciatore ubriaco. Tuo padre lo sapeva bene quando mi ha concesso la tua mano, e tutto questo è stato fatto per domare il tuo orgoglio.

A sentire quelle parole, la fanciulla non seppe se spaventarsi, vergognarsi o rallegrarsi. Ma l'amore ebbe la meglio su tutto, perché dopo un po' appoggiò la testa al petto del marito e pianse come una bambina.

Ben presto, però, le damigelle d'onore la portarono via e le fecero indossare le vesti piú raffinate che fossero mai state create. Per le nozze giunsero anche sua madre e suo padre, e quando la compagnia già si chiedeva che fine avessero fatto gli sposi, nel salone entrarono il re e la regina, con i suoi abiti sontuosi, assieme all'altro re e all'altra regina.

I festeggiamenti e l'allegria furono tali che nessuno di noi potrà mai vederne di uguali.

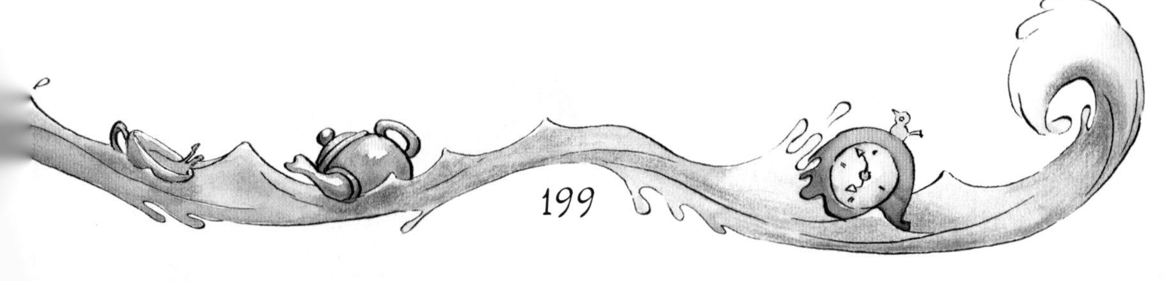

Nasreddin Hodja e L'odore di minestra

Anonimo

Nasreddin Hodja è quello che si può definire un folle saggio. La sua peculiarità è saper risolvere le questioni in modo originale. Figura tipica del folklore turco, Nasreddin è protagonista di molte storie popolari.

Un mendicante camminava lungo la strada del grande mercato: si era fatto regalare un pezzetto di pane vecchio e rinsecchito e

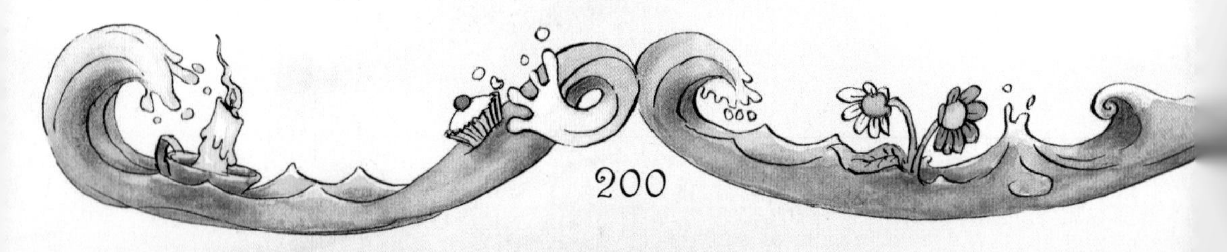

per quel giorno non aveva altro da mangiare. Sperando di trovare un po' di companatico, l'uomo entrò in un ristorante lí vicino e chiese una piccola porzione di cibo, ma fu costretto a lasciare la locanda a mani vuote. Mentre usciva si fermò a guardare i ricchi che si gustavano le loro scodelle piene di minestra saporita, poi si chinò su uno dei pentoloni che ribollivano e sibilavano sui carboni ardenti, inspirò a fondo per godersi quel buon profumo e quindi si voltò tristemente per tornare sui suoi passi. Ma in quell'istante l'oste uscí dal locale e lo afferrò per un braccio.

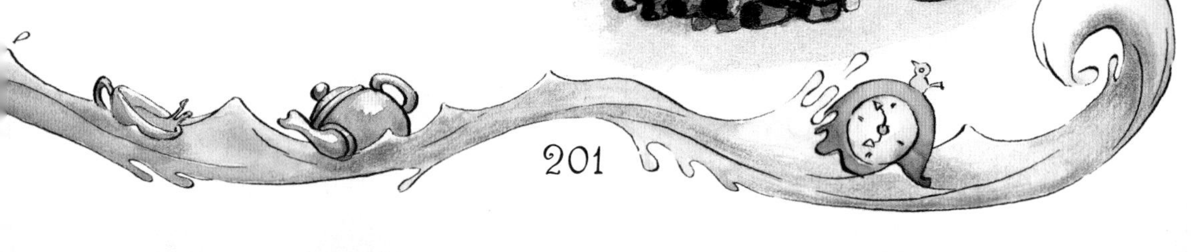

– Dove vai cosí in fretta? Non hai pagato! – esclamò.

– Pagare? Ma io non ho mangiato niente, – farfugliò confuso il mendicante. – Ho solo annusato per un attimo la vostra zuppa.

– Allora mi devi pagare l'odore, – insistette il locandiere. – Pensi che cucini le mie minestre per permettere ai mendicanti di rubarne il profumo? Ti ho visto mentre te ne approfittavi.

Come si può immaginare, il povero mendicante non aveva denaro da dargli, cosí l'oste lo trascinò a casa di Nasreddin Hodja, il giudice. Questi ascoltò la sua storia con grande attenzione, tenendo conto sia delle esclamazioni indignate del locandiere sia delle proteste del mendicante che affermava di non aver rubato niente.

– E quindi tu non hai soldi? – chiese il giudice al poveraccio.

– Neanche un centesimo, – balbettò il mendicante terrorizzato.

Allora Nasreddin si rivolse al locandiere. – E tu vuoi essere pagato per il profumo? – domandò.

– Proprio cosí, – rispose l'oste.

– Allora ti pagherò di tasca mia, – disse Nasreddin.

Il giudice tirò fuori di tasca alcune monete e invitò il locandiere ad avvicinarsi. L'uomo avanzò trepidante.

Allora Nasreddin alzò il pugno con i soldi all'orecchio dell'oste e scosse dolcemente la mano facendo tintinnare le monete l'una contro l'altra.

– Ora potete andare, – disse infine.

Il locandiere ribatté seccato: – Ma i miei soldi...

– Quest'uomo ha rubato l'odore di una minestra, – spiegò Nasreddin, – e tu sei stato ripagato con il suono del denaro. Ora vattene per la tua strada.

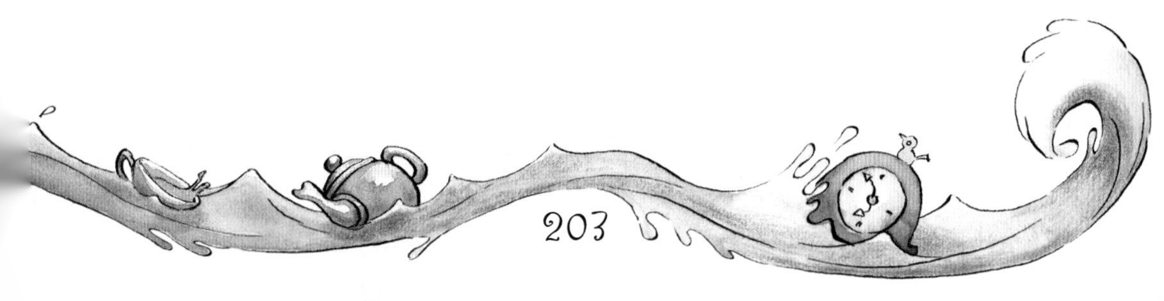

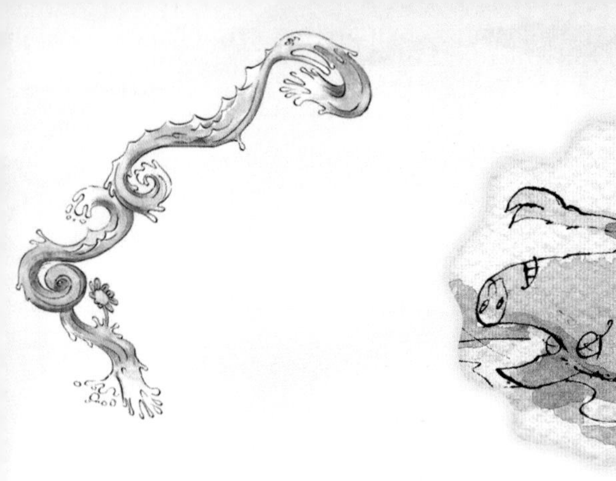

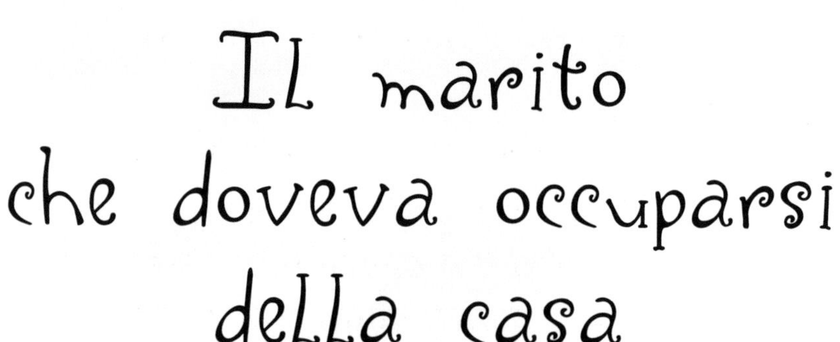

Il marito che doveva occuparsi della casa

di Peter Christen Asbjørnsen

C'era una volta un uomo irascibile e stizzoso convinto che sua moglie non ne facesse mai una giusta in casa. Una sera, in tempo di fienagione, rincasò urlando e brontolando, digrignando i denti e facendo un gran trambusto.

– Amore mio, non irritarti, da bravo, – disse

sua moglie, – domani ci scambieremo i lavori. Io uscirò assieme ai falciatori per raccogliere il fieno e tu resterai a casa a occuparti delle faccende domestiche.

Il marito pensò che fosse un'ottima idea e acconsentí.

Cosí il mattino dopo la moglie si svegliò di buon'ora, si mise la falce a tracolla e uscí nei campi assieme ai falciatori per cominciare la raccolta del fieno mentre suo marito restava a occuparsi della casa e delle faccende domestiche.

Per cominciare, decise di fare il burro, ma dopo aver agitato per un po' la panna nella zangola gli venne sete e scese in cantina a spillare un barile di birra. Aveva appena tirato fuori lo zaffo dalla botte e stava per inserire la spina quando udí il maiale entrare in cucina al piano di sopra. Ancora con la spina in mano, corse su per le scale piú in fretta che poté per impedire al maiale di rovinare il burro, ma quando arrivò quello aveva già rovesciato la

zangola e si rotolava grugnendo nella panna che si era riversata sul pavimento.

L'uomo andò su tutte le furie e, dimenticandosi completamente del barile di birra, prese a inseguire il maiale da un capo all'altro della stanza. Alla fine lo acchiappò proprio mentre usciva di

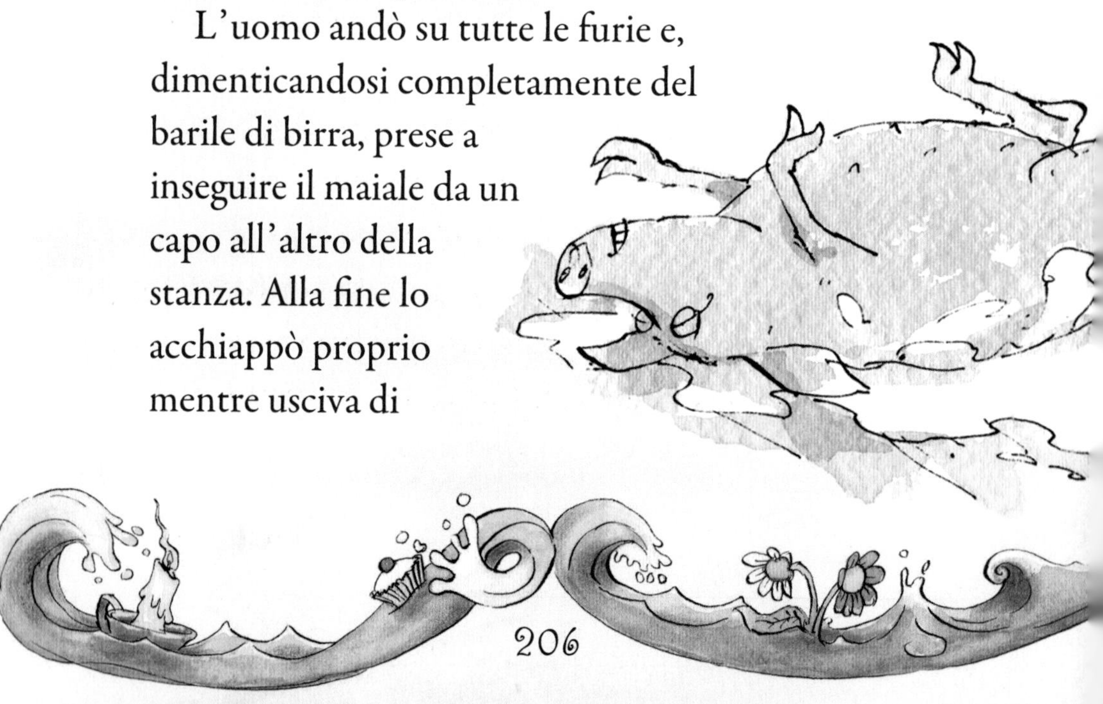

corsa dalla porta e gli appioppò un calcio cosí potente che quello cadde a terra stecchito. Solo allora l'uomo si ricordò di avere ancora la spina in mano, ma quando scese in cantina la birra era tutta uscita dalla botte.

Allora andò in dispensa e vide che era rimasta abbastanza panna per riempire di nuovo la zangola, cosí si rimise a preparare il burro che serviva per la cena. Dopo che ebbe agitato per un po' la panna si ricordò che la mucca era ancora chiusa nella stalla e non aveva avuto niente da bere o da mangiare per tutta la mattina, anche se il sole era già alto nel cielo. L'uomo si disse che il pascolo era troppo lontano per portarcela, cosí decise di farla salire sul tetto, che era fatto di zolle erbose ed era ricoperto da un bel prato verde. La casa sorgeva accanto a un ripido pendio, e l'uomo pensò che se avesse appoggiato un'asse di legno sul retro del tetto sarebbe stato facile farci passare sopra la mucca.

Però non poteva lasciare lí la zangola, perché il

suo figlioletto stava gattonando sul pavimento. «Se la lascio qui, – rifletté, – il bambino la rovescerà». Allora si mise la zangola in spalla e la portò fuori con sé. Poi si rese conto che prima di portare la mucca sul tetto avrebbe fatto meglio a procurarsi l'acqua per abbeverarla. Cosí prese un secchio per attingerla, ma mentre si affacciava al bordo del pozzo la panna uscí dalla zangola che portava in spalla e precipitò giú.

Ormai era quasi ora di cena e lui non aveva nemmeno preparato il burro, quindi decise di mettere a cuocere la farinata d'avena. Riempita la pentola d'acqua, la appese nel caminetto acceso. A quel punto gli venne in mente che la mucca sarebbe potuta cadere dal tetto rompendosi il collo e le zampe, cosí salí in cima per legarla. Strinse un capo della fune al collo dell'animale e, calata l'altra estremità giú per il camino, se la fissò alla gamba.

Ormai, però, doveva sbrigarsi, perché l'acqua bolliva già nella pentola e bisognava ancora macinare la farina d'avena. Prese a frantumare i chicchi con foga, ma mentre era tutto assorto nel suo lavoro la mucca cadde dal tetto tirandolo per la fune su per il camino. L'uomo rimase incastrato, mentre la mucca penzolava a mezz'aria, dondolando contro il muro della casa senza poter né salire né scendere.

La moglie aveva aspettato ore e ore che il marito andasse a chiamarla per la cena, ma lui non arrivò. Alla fine concluse che aveva atteso abbastanza e tornò indietro. Quando giunse a casa e vide la mucca appesa alla fune, corse subito a tagliare la corda con la sua falce. Allora il marito cadde nel focolare, e non appena lei entrò in cucina lo trovò infilato a testa in giú nella pentola della farinata.

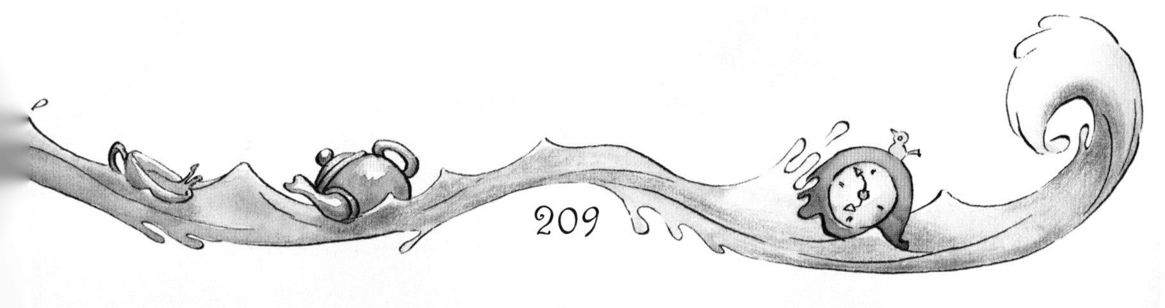

Nasreddin Hodja e il pentolone

Anonimo

Nasreddin Hodja andò dal vicino e gli chiese in prestito un grosso pentolone per qualche giorno. Quando lo restituí, il vicino trovò al suo interno una pentola piú piccola che non aveva mai visto prima. – Cos'è questa? – domandò.

– Oh, mentre si trovava a casa mia il tuo pentolone ha fatto un figlio, – rispose Nasreddin, – e naturalmente, visto che la pentola grande

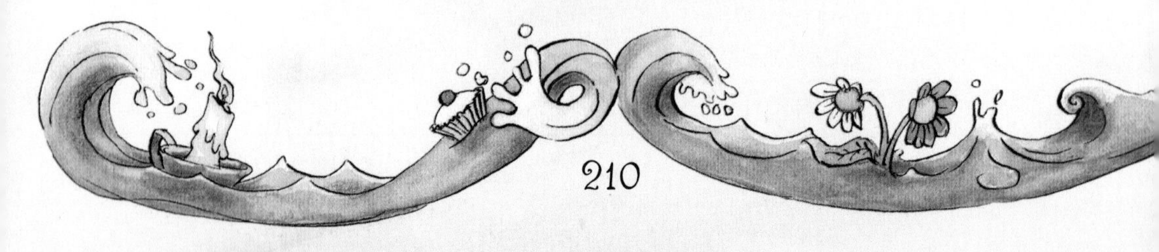

era tua, anche quella piú piccola ti appartiene, perciò te l'ho portata.

«Che idiota!» pensò l'uomo accettando la pentola con un sorriso compiaciuto e rallegrandosi della sua fortuna.

Qualche giorno dopo Nasreddin chiese se poteva prendere di nuovo in prestito il pentolone, e dopo qualche settimana il vicino andò a casa sua a riprenderselo.

– Oh, sono molto spiacente, – disse Nasreddin, – ma il tuo pentolone è morto.

– Non dire sciocchezze, – ribatté stizzito il vicino, – le pentole non muoiono mica!

– Ne sei sicuro? – rispose Nasreddin. – Eppure non sei rimasto molto sorpreso quando ti ho detto che aveva fatto un figlio.

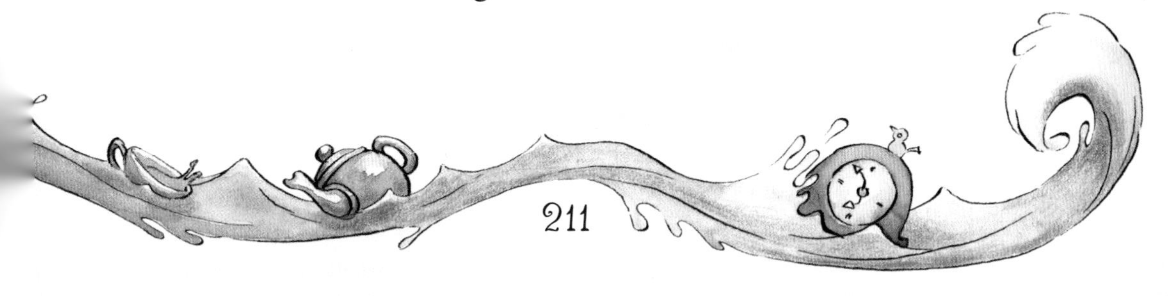

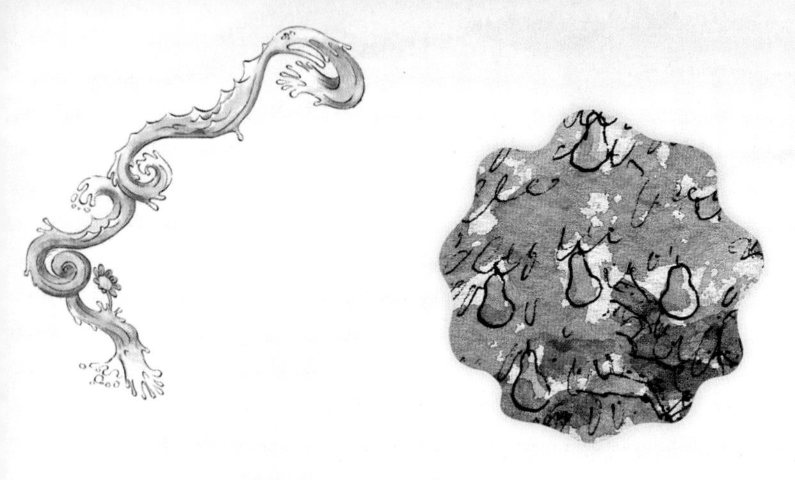

Ser Gammer Vans

di Joseph Jacobs

Domenica mattina alle sei di sera, mentre navigavo sopra la cima dei monti nella mia barchetta, ho incontrato due uomini a cavallo che galoppavano in sella a un'asina. Allora ho chiesto loro di dirmi se la povera vecchietta che era stata impiccata sabato scorso della prossima settimana per essersi annegata in una doccia di piume fosse già morta. Quelli mi hanno risposto che non potevano darmi informazioni al riguardo, ma che se fossi andato da ser Gammer Vans lui mi avrebbe detto tutto.

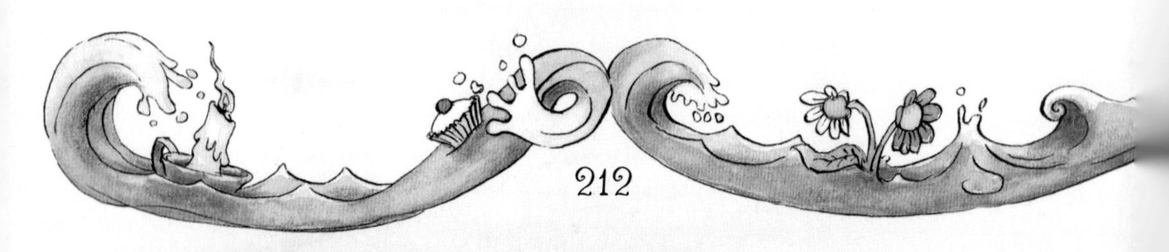

– Ma come farò a riconoscere la casa? – ho chiesto io.

– Oh, è piuttosto facile, – hanno risposto, – perché è una casa di mattoni tutta fatta di selce e sorge isolata in mezzo ad altre sessanta o settanta case tutte uguali.

– Ah, nulla di piú semplice! – ho esclamato.

– Già, non vi può essere niente di piú facile, – hanno replicato loro. Cosí sono andato per la mia strada.

Bisogna sapere che questo ser Gammer Vans era un gigante, che di mestiere faceva il bottigliaio. E dato che solitamente tutti i giganti che di mestiere fanno i bottigliai spuntano fuori da una bottiglietta sistemata dietro la porta, anche ser Gammer Vans ha fatto cosí.

– Come state? – mi ha chiesto.

– Molto bene, grazie, – ho risposto.

– Volete fare colazione con me?

– Molto volentieri.

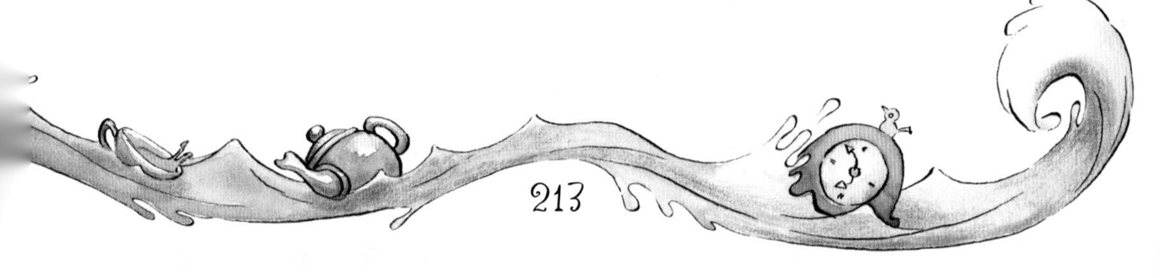

Allora ser Gammer Vans mi ha offerto una fetta di birra e una tazza di carne fredda, e sotto il tavolo c'era un cagnolino che mangiava tutte le briciole.

– Impiccatelo, – ho detto io.

– No, non impiccatelo, – ha risposto lui, – perché ieri ha ucciso una lepre. E se non mi credete, vi porterò a vederla viva e vegeta in un cesto.

Allora mi ha condotto nel suo giardino per mostrarmi tante curiosità. In un angolo c'era una volpe che covava uova d'aquila. In un altro c'era un melo di ferro carico di pere e rivestito di piombo. Nel terzo c'era la lepre che il cane aveva ucciso il giorno prima viva e vegeta nel cesto.

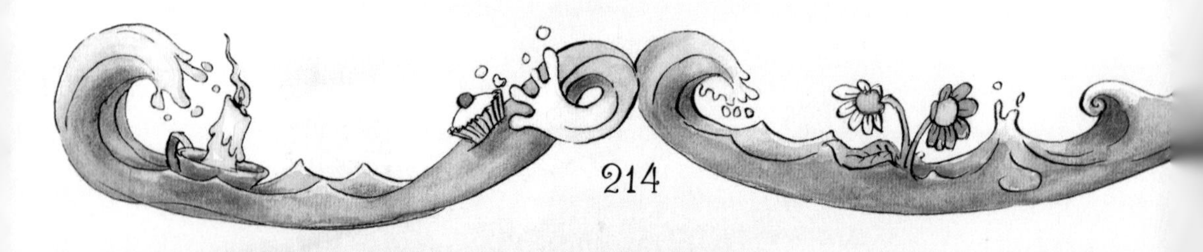

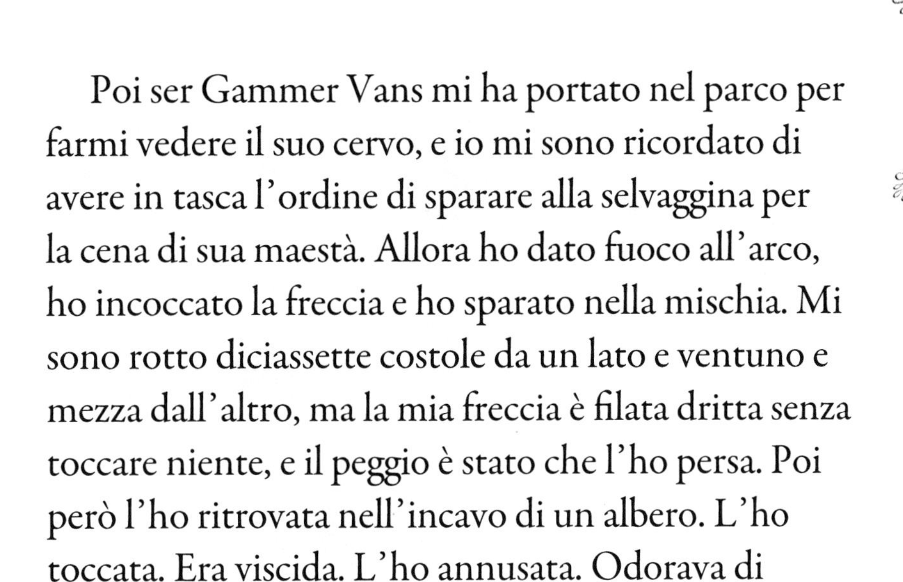

Poi ser Gammer Vans mi ha portato nel parco per farmi vedere il suo cervo, e io mi sono ricordato di avere in tasca l'ordine di sparare alla selvaggina per la cena di sua maestà. Allora ho dato fuoco all'arco, ho incoccato la freccia e ho sparato nella mischia. Mi sono rotto diciassette costole da un lato e ventuno e mezza dall'altro, ma la mia freccia è filata dritta senza toccare niente, e il peggio è stato che l'ho persa. Poi però l'ho ritrovata nell'incavo di un albero. L'ho toccata. Era viscida. L'ho annusata. Odorava di miele.

– Oh, no, – ho detto, – qui dentro c'è un nido di api!

Ed ecco che fuori dall'albero è volato uno stormo di pernici. Allora ho sparato. C'è chi dice che ne ho uccise diciotto, ma io sono sicuro di averne abbattute trentasei, oltre a un salmone morto che volava sopra il ponte e con cui ho preparato la migliore torta di mele che avessi mai assaggiato.

Jack il Pigro

di Flora Annie Steel

C'era una volta un ragazzo che si chiamava Jack e che viveva in un campo assieme alla madre. I due erano molto poveri, e l'anziana donna si guadagnava da vivere filando la lana, mentre Jack era molto pigro e non faceva altro che prendere il sole quando faceva bel tempo e starsene accanto al focolare nei giorni d'inverno. Per questo lo chiamarono Jack il Pigro. Sua madre non riusciva a fargli fare niente, e alla fine un lunedí mattina gli disse che se non avesse cominciato a guadagnarsi il

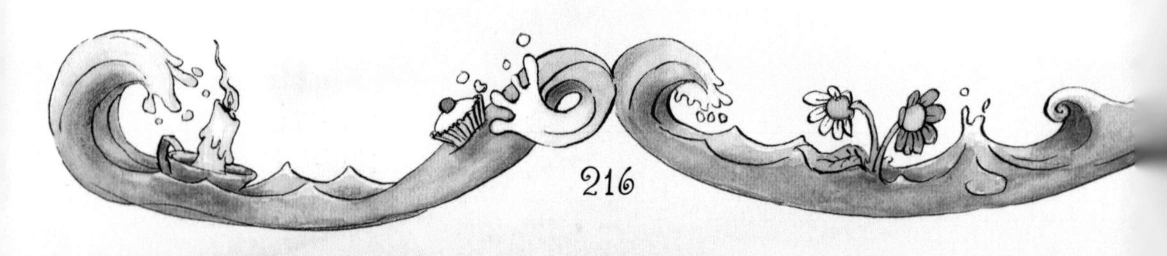

pane lo avrebbe cacciato via, e lui avrebbe dovuto tirare avanti con le sue sole forze.

A sentire quelle parole, Jack si rianimò, uscí di casa e trovò un lavoretto da svolgere l'indomani per un fattore del vicinato in cambio di un centesimo, ma nel tornare a casa, non avendo mai posseduto denaro in vita sua, perse la moneta mentre attraversava un ruscello.

– Stupido che non sei altro, – disse la madre, – te la saresti dovuta infilare in tasca.

– La prossima volta lo farò, – rispose Jack.

Il giorno dopo Jack uscí di nuovo e trovò un lavoro presso un mandriano, che gli diede una brocca di latte per la giornata. Jack prese la brocca e se la infilò nella tasca piú grande della giacca, versandone tutto il contenuto a terra molto prima di arrivare a casa.

– Povera me! – disse l'anziana donna. – Avresti dovuto portarla sulla testa.

– La prossima volta lo farò, – replicò Jack.

Cosí l'indomani Jack trovò un altro lavoro presso un fattore, che acconsentí a dargli una forma di formaggio fresco in cambio dei suoi servigi. A sera Jack prese il formaggio e tornò a casa mettendoselo in testa, ma quando arrivò il formaggio era tutto rovinato: una parte era caduta, mentre l'altra gli aveva impiastricciato i capelli.

– Razza di idiota, – inveí la madre, – avresti dovuto trasportarlo con delicatezza fra le mani.

– La prossima volta lo farò, – disse Jack.

Il giorno seguente Jack il Pigro uscí un'altra volta di casa e trovò lavoro presso un fornaio. In cambio del suo aiuto, questi non volle dargli altro che un grosso gatto, e Jack lo prese e cercò di trasportarlo con delicatezza fra le mani, ma poco dopo il micio lo graffiò tanto che lui fu costretto a lasciarlo andare.

Quando il ragazzo arrivò a casa, sua madre gli disse: – Sei proprio uno scemo: avresti dovuto legarlo a una corda e trascinartelo dietro.

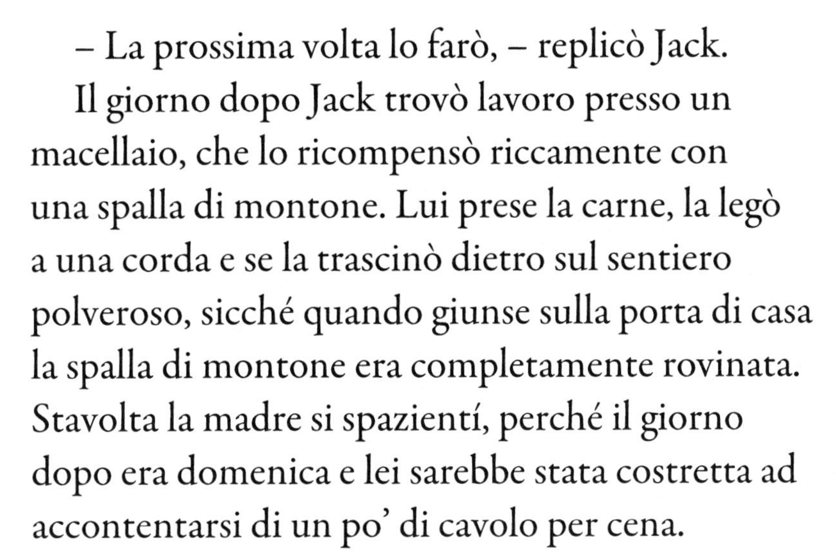

– La prossima volta lo farò, – replicò Jack.

Il giorno dopo Jack trovò lavoro presso un macellaio, che lo ricompensò riccamente con una spalla di montone. Lui prese la carne, la legò a una corda e se la trascinò dietro sul sentiero polveroso, sicché quando giunse sulla porta di casa la spalla di montone era completamente rovinata. Stavolta la madre si spazientí, perché il giorno dopo era domenica e lei sarebbe stata costretta ad accontentarsi di un po' di cavolo per cena.

– Sciocco rimbambito! – disse la donna a suo figlio.– Te la saresti dovuta caricare in spalla.

– La prossima volta lo farò, – rispose Jack.

Quando venne il lunedí, Jack il Pigro uscí un'altra volta di casa e trovò lavoro presso uno stalliere, che premiò le sue fatiche con un asino. Anche se Jack era molto forte, caricarsi l'asino in spalla non fu facile, ma alla fine ci riuscí e si incamminò lentamente verso casa con la sua ricompensa.

Fortuna volle che lungo il cammino il ragazzo dovesse passare davanti al palazzo in cui abitavano un uomo ricco e la sua unica figlia, una bella ragazza che però era sordomuta. La fanciulla non aveva mai riso in vita sua, e i dottori avevano detto che non avrebbe mai parlato finché qualcuno non l'avesse fatta ridere. Allora suo padre aveva fatto sapere che chiunque fosse riuscito a farla ridere l'avrebbe avuta in sposa.

Quel giorno la damigella era affacciata alla finestra proprio mentre Jack passava di là con l'asino in spalla, e la povera bestia, le zampe ritte all'insú, scalciava con forza e ragliava con quanto fiato aveva in gola. Lo spettacolo era tanto comico che la fanciulla scoppiò in una grassa risata e immediatamente ritrovò la parola e l'udito.

Suo padre ne fu talmente felice che mantenne la promessa dando sua figlia in moglie a Jack il Pigro, che divenne cosí un ricco signore. I due sposini andarono a stare in una grande casa, e la madre di Jack visse con loro felice e contenta fino al giorno della sua morte.

I tre idioti

di Joseph Jacobs

C'erano una volta un fattore e sua moglie, e i due avevano un'unica figlia a cui un gentiluomo faceva la corte. Ogni sera il signore andava a trovarla e si fermava a mangiare alla fattoria, e la ragazza veniva mandata giú in cantina a prendere la birra per la cena.

Una sera la fanciulla scese a spillare la botte e le capitò di alzare lo sguardo verso il soffitto, dove vide un'accetta piantata in una trave. Doveva trovarsi lí da molto, molto tempo, ma chissà perché lei

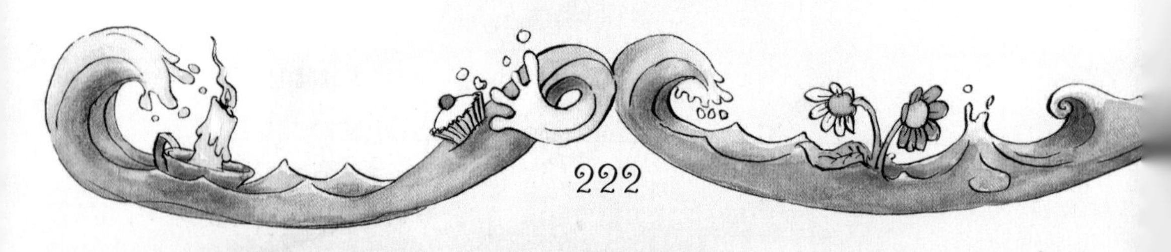

non se n'era mai accorta e questo la fece pensare. Quell'accetta piantata lí in alto le pareva assai pericolosa, cosí la ragazza si disse: «Semmai lui e io ci sposassimo e poi facessimo un figlio, e questo figlio crescesse fino a diventare uomo e venisse giú in cantina a spillare la birra come sto facendo io ora, e l'accetta gli cadesse sulla testa e lo uccidesse, sarebbe una cosa terribile!». Cosí appoggiò la candela e la brocca a terra, si sedette e scoppiò a piangere.

Di sopra, intanto, tutti cominciavano a chiedersi come mai la fanciulla impiegasse tanto tempo a riempire una brocca di birra. Allora sua madre scese a cercarla e la trovò seduta sulla panca in lacrime, con la birra che scorreva sul pavimento. – Ma cosa è successo? – le domandò.

– Oh, madre! – disse la ragazza. – Guarda quell'orrenda accetta! Semmai noi due ci sposassimo e facessimo un figlio, e questo figlio crescesse e dovesse venire giú in cantina a spillare la

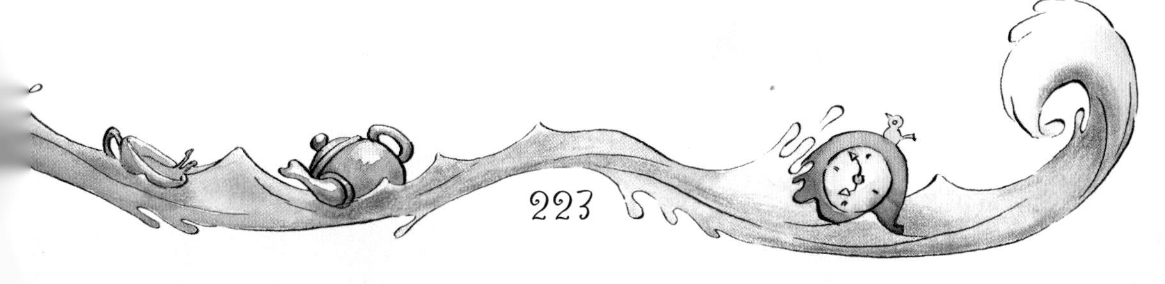

birra, e l'accetta gli cadesse sulla testa e lo uccidesse, sarebbe una cosa terribile!

– Ah, sí, sarebbe davvero una cosa terribile! – esclamò la madre sedendosi accanto alla fanciulla e scoppiando anche lei a piangere.

Dopo un po' il padre cominciò a meravigliarsi che la moglie e la figlia non tornassero e scese a cercarle in cantina, dove le trovò che piangevano, con la birra che scorreva su tutto il pavimento.

– Cosa è successo? – chiese.

– Oh, – rispose la madre, – guarda quell'orrenda accetta! Immagina che nostra figlia e il suo fidanzato si sposino e facciano un figlio, e che questo figlio cresca e debba venire giú in cantina a spillare la birra, e l'accetta gli cada sulla testa e lo uccida: sarebbe una cosa terribile!

– Ah, sí! – disse il padre sedendosi accanto alle due e scoppiando a piangere.

A quel punto il gentiluomo si era stufato di restare da solo in cucina, cosí scese anche lui in cantina a vedere che cosa fosse accaduto agli altri. Ed eccoli tutti e tre che piangevano l'uno accanto all'altro, con la birra che scorreva sul pavimento.

Allora l'uomo corse dritto verso il barile e chiuse il rubinetto. Poi disse: – Perché ve ne state tutti e tre seduti a piangere mentre la birra si versa sul pavimento?

– Oh, – rispose il padre, – guardate quell'orrenda accetta! Immaginate se voi e nostra figlia vi sposaste e faceste un figlio, e questo figlio crescesse e dovesse venire giú in cantina a spillare la birra, e l'accetta gli cadesse sulla testa e lo uccidesse!

Dopodiché i tre si rimisero a piangere piú di prima.

Invece il gentiluomo scoppiò a ridere e, allungato un braccio, staccò l'accetta dalla trave dicendo: – Ho viaggiato in lungo e in largo e non mi è mai capitato di incontrare tre idioti come voi. Quindi ora mi rimetterò in cammino, e solo quando troverò tre piú idioti di voi tornerò a sposare vostra figlia.

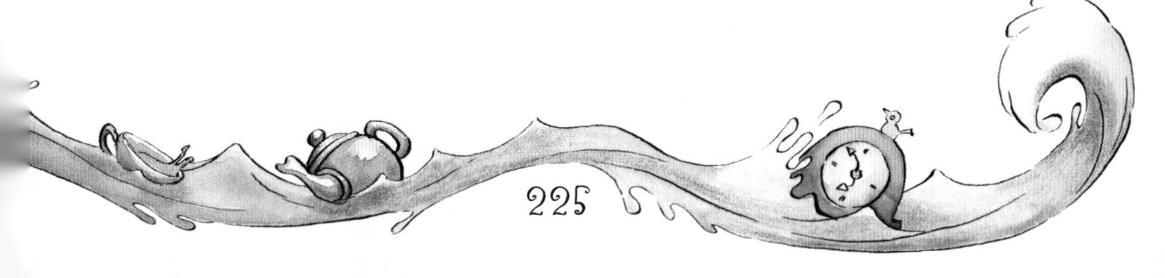

Detto questo, il signore si accomiatò dalla famiglia e riprese il viaggio lasciandoli tutti in lacrime perché la fanciulla aveva perso il fidanzato.

Il gentiluomo marciò a lungo, e alla fine giunse alla casa di una donna che aveva fatto crescere l'erba sul tetto. Questa signora stava cercando di far salire la sua mucca su una scala a pioli per portarla sul tetto erboso, e quella povera bestia si rifiutava di montarci sopra. Allora il giovane chiese alla donna che cosa avesse intenzione di fare.

– Ah, – disse lei, – guardate quanta bella erba. Voglio far salire la mucca sul tetto per fargliela brucare. Sarà al sicuro, perché le legherò una corda al collo e poi la farò scendere giú per il camino e me la fermerò al polso mentre mi occupo della casa: in questo modo non potrà cadere senza che io me ne accorga.

– Povera idiota! – esclamò il gentiluomo. – Faresti prima a tagliare l'erba e a gettarla giú alla mucca!

Ma la donna pensava che sarebbe stato piú facile far montare la mucca sulla scala a pioli che far scendere l'erba a terra, cosí spinse e blandí l'animale finché salí sul tetto. Poi, legata una corda al collo della bestia, la calò giú per il camino e se la attorcigliò al polso.

Il gentiluomo si rimise in cammino, ma non era andato lontano quando la mucca ruzzolò giú dal tetto e, restando appesa alla corda che aveva intorno al collo, morí strangolata. La povera bestia però era legata al polso della donna, la quale fu trascinata su nella cappa del camino, dove rimase incastrata, tutta coperta di fuliggine, senza poter né scendere né salire. Ebbene, quella sí che era una grande idiota!

Il giovane signore proseguí il suo viaggio e si fermò per la notte in un'osteria. La locanda era cosí piena che dovettero sistemarlo in una camera per due persone, in cui un altro viandante avrebbe dormito nel secondo letto.

Il compagno di stanza era un tipo molto simpatico, e i due fecero amicizia, ma quando al mattino si alzarono, il gentiluomo si stupí nel vedere l'altro appendere i calzoni ai pomoli di una cassettiera e correre da un lato all'altro della stanza cercando di saltarvi dentro.

L'uomo continuò a tentare piú e piú volte senza riuscire nel suo intento, e il gentiluomo si chiese a che cosa fosse dovuto quello strano comportamento.

Alla fine quello si fermò ad asciugarsi la fronte con un fazzoletto. – Povero me, – disse, – i pantaloni sono il vestito piú scomodo che sia mai stato inventato. Non riesco a immaginare a chi possa essere venuto in mente di creare qualcosa del genere. Ogni mattina ci metto quasi un'ora a entrarci, e quanto sudo! Voi come fate a metterveli?

Allora il gentiluomo scoppiò a ridere e gli spiegò come infilarseli, e quello non smetteva piú di ringraziarlo e di ripetere che non avrebbe mai pensato di fare in quel modo. Ecco un altro grande idiota.

Poco dopo il giovane signore riprese il cammino e arrivò nei pressi di un villaggio che sorgeva accanto a uno stagno, e intorno allo stagno era radunata una grande folla. Tutti protendevano un rastrello, una scopa o un forcone verso il centro del laghetto. Allora il gentiluomo chiese che cosa stesse accadendo.

– Ah, – gli risposero, – la luna è caduta nello stagno e non riusciamo piú a tirarla fuori!

Il giovane signore scoppiò a ridere e disse a quella gente di alzare gli occhi al cielo, perché quello

che vedevano era solo
il riflesso dell'astro
nell'acqua. Ma
invece di prestargli
ascolto, loro gli
rivolsero insulti
vergognosi e lui
se la filò piú in
fretta che poté.
Ecco un
bel gruppetto
di idioti peggiori
dei tre che aveva lasciato. Cosí il gentiluomo tornò sui suoi passi e sposò la figlia del fattore, e se non vissero per sempre felici e contenti non è colpa vostra né, tanto meno, mia.

Tikki Tikki Tembo

Anonimo

In un paese lontano lontano della Cina vivevano una volta due fratelli, uno chiamato Sam e l'altro chiamato Tikki Tikki Tembo No Sarimbo Hari Kari Bushki Perri Pem Do Hai Kai Pom Pom Nikki No Meeno Dom Barako.

Un giorno i due fratelli stavano giocando vicino al pozzo del loro giardino quando Sam cadde giú e Tikki Tikki Tembo No Sarimbo Hari Kari Bushki Perri Pem Do Hai Kai Pom Pom Nikki No Meeno Dom Barako corse dalla madre urlando: – Presto, Sam è caduto nel pozzo. Che facciamo?

– Cosa? – gridò la madre. – Sam è caduto nel pozzo? Corriamo a dirlo al papà!

I due corsero insieme dal papà e urlarono: – Presto, Sam è caduto nel pozzo. Che facciamo?

– Sam è caduto nel pozzo? – gridò il padre. – Corriamo a dirlo al giardiniere!

Allora tutti corsero dal giardiniere e urlarono: – Presto, Sam è caduto nel pozzo. Che facciamo?

– Sam è caduto nel pozzo? – gridò il giardiniere. E subito andò a prendere una scala e tirò su dal pozzo il povero bambino, che era bagnato,

infreddolito e spaventato, ma felicissimo di essere ancora vivo.

Un po' di tempo dopo i due fratelli stavano giocando di nuovo vicino al pozzo, e questa volta fu Tikki Tikki Tembo No Sarimbo Hari Kari Bushki Perri Pem Do Hai Kai Pom Pom Nikki No Meeno Dom Barako a cadere giú. Perciò Sam corse dalla madre urlando: – Presto, Tikki Tikki Tembo No Sarimbo Hari Kari Bushki Perri Pem Do Hai Kai Pom Pom Nikki No Meeno Dom Barako è caduto nel pozzo. Che facciamo?

– Cosa? – gridò la madre. – Tikki Tikki Tembo No Sarimbo Hari Kari Bushki Perri Pem Do Hai Kai Pom Pom Nikki No Meeno Dom Barako è caduto nel pozzo? Corriamo a dirlo al papà!

I due corsero insieme dal papà e urlarono: – Presto, Tikki Tikki Tembo No Sarimbo Hari Kari Bushki Perri Pem Do Hai Kai Pom Pom Nikki No Meeno Dom Barako è caduto nel pozzo. Che facciamo?

– Tikki Tikki Tembo No Sarimbo Hari Kari Bushki Perri Pem Do Hai Kai Pom Pom Nikki No Meeno Dom Barako è caduto nel pozzo? – gridò il padre. – Corriamo a dirlo al giardiniere!

Allora tutti corsero dal giardiniere e urlarono: – Presto, Tikki Tikki Tembo No Sarimbo Hari Kari Bushki Perri Pem Do Hai Kai Pom Pom Nikki No Meeno Dom Barako è caduto nel pozzo. Che facciamo?

– Tikki Tikki Tembo No Sarimbo Hari Kari Bushki Perri Pem Do Hai Kai Pom Pom Nikki No Meeno Dom Barako è caduto nel pozzo? – gridò il giardiniere. E subito andò a prendere una scala e tirò su dal pozzo Tikki Tikki Tembo No Sarimbo Hari Kari Bushki Perri Pem Do Hai Kai Pom Pom Nikki No Meeno Dom Barako, ma il povero bambino era rimasto in acqua cosí tanto tempo che alla fine era annegato.

Da quel giorno in poi i cinesi hanno sempre dato nomi corti ai loro figli.

QUI CASCA L'ASINO

La bambina che aveva un orso

di L. Frank Baum

La mamma era andata in città a fare compere e aveva chiesto a Nora di stare attenta a Jane Gladys. Lei glielo aveva promesso, ma quel pomeriggio doveva lucidare l'argenteria, cosí rimase da basso lasciando Jane Gladys a giocare da sola nel salotto grande al piano di sopra. Alla bambina non dispiaceva stare per conto suo, perché era impegnata con il suo primo ricamo: un cuscino da

divano da regalare al papà per il suo compleanno. Jane Gladys salí sull'ampio davanzale della finestra e, rannicchiatasi sul largo sedile, chinò la bruna testolina e si mise al lavoro. Dopo un po' la porta si aprí e si richiuse senza far rumore. Jane Gladys pensò che fosse Nora, quindi non si girò a guardare prima di aver aggiunto un altro paio di punti a un nontiscordardimé che voleva completare. Alla fine alzò gli occhi e rimase di stucco nel vedere lo strano ometto che la osservava serio dal centro della stanza.

Era basso e grasso, e sembrava affannato come chi ha fatto molte scale. Teneva un cappello in mano e sotto il gomito dell'altro braccio era infilato un libro voluminoso. Indossava un completo nero vecchio e piuttosto logoro ed era pelato sul cocuzzolo della testa. – Scusatemi, – disse alla bambina che lo guardava stupefatta, – siete voi Jane Gladys Brown?

– Sissignore, – rispose lei.

– Fantastico, proprio fantastico, direi! – commentò lui con uno strano sorriso. – Trovarvi è stata una vera caccia al tesoro, ma alla fine ci sono riuscito.

– Come avete fatto a entrare? – domandò Jane Gladys, che nutriva sempre piú sospetti nei confronti di quel visitatore.

– È un segreto, – rispose lui in tono misterioso.

Quella risposta bastò a mettere in guardia la ragazzina, che prese a fissare l'uomo mentre lui fissava lei, e tutti e due gli sguardi erano seri e un po' diffidenti. – Che cosa volete? – gli chiese raddrizzando la schiena per darsi un tono.

– Ah! Dato che siamo passati subito al sodo, – ribatté l'uomo animandosi, – con voi sarò molto franco. Vostro padre mi ha maltrattato in maniera oltremodo scortese.

Jane Gladys saltò giú dal davanzale e con un ditino indicò la porta. – Uscite subito da questa stanza! – esclamò, con la voce che tremava per l'indignazione. – Il mio papà è l'uomo piú buono del mondo e non ha mai maltrattato nessuno!

– Permettetemi di spiegarmi, vi prego, – disse il visitatore senza far caso alla sua intimazione di andar via. – Con voi vostro padre sarà molto gentile, perché siete sua figlia, lo sapete. Ma quando è in ufficio giú in città diventa alquanto severo, soprattutto con i rappresentanti di libri. L'altro giorno gli ho fatto visita e gli ho proposto di acquistare l'Opera completa di Peter Smith. Come pensate che abbia reagito?

Jane Gladys non rispose.

– Be', – proseguí l'uomo, sempre piú accalorato, – mi ha ordinato di uscire dal suo ufficio e mi ha fatto cacciar fuori da un inserviente! Dopo un simile trattamento pensate ancora che il vostro sia il papà «piú buono del mondo»?

– Io credo che avesse ragione, – osservò Jane Gladys.

– Ah, sí? – fece l'ometto, – Be', io ho deciso di vendicarmi. E dato che vostro padre è grande, grosso e pericoloso, ho deciso di rivalermi sulla sua figlioletta.

Lei rabbrividí. – E cosa volete fare? – domandò.

– Vi regalerò questo libro, – rispose sfilandoselo dal braccio. Poi si sedette in punta a una sedia, appoggiò il cappello sul tappeto e tirò fuori una penna stilografica dal taschino. – Ora ci aggiungo il vostro nome, – disse. – Come si scrive Gladys?

– G-l-a-d-y-s, – sillabò la ragazzina.

– Grazie, – disse lui prima di alzarsi e di concludere, consegnandole il libro con un inchino: – Questa è la mia vendetta per il modo in cui vostro padre mi ha trattato. Forse si pentirà di non aver comprato l'Opera completa di Peter Smith. Arrivederci, mia cara –. Detto questo, l'ometto si diresse verso la porta, fece un ultimo inchino e uscí dalla stanza, e Jane Gladys notò che stava ridendo fra sé come se fosse molto divertito.

Non appena la porta si richiuse alle spalle dello strano tipo, la bambina si sedette nuovamente sul davanzale e osservò il libro. Aveva una copertina rossa e gialla e sulla prima pagina era scritto «Coseacaso» a caratteri cubitali.

COSEACASO

Allora lo aprí curiosa e vide il proprio nome scritto con lettere nere sulla prima pagina bianca.

«Che buffo ometto», si disse pensierosa.

Poi girò la pagina e scorse il grosso ritratto di un pagliaccio vestito di giallo, rosso e verde, che aveva il viso bianchissimo e due macchie rosse triangolari sulle guance e sugli occhi. Mentre Jane Gladys osservava il disegno, il libro prese a tremarle fra le mani, la pagina crepitò e scricchiolò, e di colpo il pagliaccio saltò fuori e le si piantò davanti, trasformandosi all'istante in un uomo in carne e ossa.

Dopo essersi stiracchiato per bene e aver sbadigliato in modo alquanto maleducato, il pagliaccio fece una risatina insulsa e disse: – Ora va meglio! Non puoi immaginare che scomodità restare tanto tempo schiacciati su un foglio piatto.

Forse riuscirete a intuire lo stupore di Jane Gladys e la faccia con cui fissò la figura che era appena balzata fuori dal libro.

– Non ti aspettavi niente del genere, vero? – chiese

lui, sbirciandola con l'occhio claunesco. Poi si girò a guardarsi intorno, e Jane Gladys, nonostante lo stupore, rise.

– Cos'è che ti diverte tanto? – volle sapere il pagliaccio.

– Oh, dietro sei tutto bianco! – esclamò la bambina. – Sei un pagliaccio solo davanti.

– Molto probabile, – ribatté lui in tono infastidito. – L'artista mi ha raffigurato di fronte: nessuno gli ha chiesto di disegnarmi anche di spalle, perché quella parte doveva stare attaccata alla pagina del libro.

– Ma sei cosí buffo! – disse Jane Gladys ridendo fino alle lacrime.

Il pagliaccio si accigliò e andò a sedersi su una sedia in modo che lei non potesse vedergli la schiena. – Nel libro ci sono molte altre cose, – osservò innervosito.

Allora alla bambina venne in mente di girare un'altra pagina, e aveva appena notato l'immagine di una scimmia quando quella saltò fuori dal libro con un forte crepitio di carta per atterrare sul davanzale della finestra proprio accanto a lei.

– *He he he!* – schiamazzò la bestiola lanciandosi contro la spalla della ragazzina e poi sul tavolo nel centro della stanza. – Che spasso! Ora posso essere una scimmia vera invece di una semplice figura.

– Le scimmie vere non parlano, – le fece notare Jane Gladys.

– E tu come lo sai? Sei mai stata una scimmia? – domandò l'animale ridendo forte. Allora anche il pagliaccio rise, come se avesse gradito la battuta.

A questo punto la bambina era proprio sconcertata. Senza pensare, girò un'altra pagina e, prima che avesse il tempo di guardare due volte, un grosso asino balzò fuori dal libro e piombò dal davanzale a terra con un tonfo sonoro.

– Sei piuttosto maldestro, direi! – esclamò lei sdegnata, perché il quadrupede l'aveva quasi travolta.

– Maldestro? E che ti aspetti? – chiese l'asino con

voce contrariata. – Se quello stupido artista ti avesse disegnata in prospettiva come ha fatto con me, penso che anche tu saresti maldestra.

– Che cos'hai che non va? – s'informò la bambina.

– Le mie zampa sinistre, sia anteriore sia posteriore, sono quasi sei centimetri piú corte di quelle di destra, ecco cos'ho che non va! Se quell'artista non sapeva disegnare bene, perché mai ha voluto raffigurare un asino?

– Non lo so, – disse la ragazzina quando capí che l'animale si aspettava una risposta.

– Sto in piedi a fatica, – brontolò l'asino, – e il minimo colpo mi fa perdere l'equilibrio.

– Non me ne preoccuperei troppo, – disse la scimmia facendo un salto verso il lampadario e dondolandosi per la coda finché Jane Gladys non ebbe paura che facesse cadere tutte le sfere di cristallo, – a me l'artista ha aggiunto un paio di orecchie grandi come quelle del pagliaccio, quando tutti sanno che le scimmie non hanno orecchie degne di questo nome, e men che meno di questo disegno.

– Dovrebbero arrestarlo, – fece notare il pagliaccio scuro in volto, – io non ho la schiena.

Jane Gladys spostò lo sguardo dall'uno all'altro con un'espressione perplessa dipinta sul dolce visino, poi girò un'altra pagina del libro.

Veloce come un fulmine, oltre la sua spalla balzò un fulvo leopardo maculato che andò a posarsi sullo schienale della grande poltrona di pelle per poi voltarsi verso gli altri con uno scatto repentino.

La scimmia si arrampicò in cima al lampadario schiamazzando terrorizzata, l'asino cercò di scappar via, ma subito si ribaltò alla sua sinistra, e il pagliaccio sbiancò ancor piú di prima, ma restò immobile sulla sedia lanciando un flebile fischio di stupore.

Il leopardo si acquattò sullo schienale della poltrona e, sferzando l'aria con la coda, li fissò in cagnesco uno per uno, Jane Gladys compresa.

– Chi di noi attaccherai per primo? – volle sapere l'asino mentre si sforzava di rimettersi in piedi.

– Non posso attaccare proprio nessuno, – ringhiò il leopardo. – L'artista mi ha disegnato con la bocca chiusa, quindi non ho nemmeno un dente, e poi si è anche dimenticato di aggiungermi gli artigli. Ma sono comunque una belva dall'aria feroce, non è vero?

– Oh, sí, – replicò il pagliaccio in tono indifferente. – Suppongo che tu abbia un'aria alquanto feroce. Ma se non hai né i denti né gli artigli, della tua aria ce ne infischiamo.

Quelle parole irritarono tanto il leopardo che lanciò un ruggito tremendo e la scimmia rise di lui.

In quell'istante il libro scivolò dalle gambe della bambina, e mentre lei scattava ad afferrarlo si aprí su una delle ultime pagine. Jane Gladys scorse un feroce orso grizzly che la guardava dal foglio e subito mollò la presa. Il libro cadde di schianto, ma lí accanto già c'era il grosso grizzly, che era balzato fuori un attimo prima che il volume si richiudesse.

– Ora è meglio stare in guardia! – esclamò il leopardo. – Di lui non potrete ridere come avete fatto con me, perché quest'orso ha sia i denti sia gli artigli.

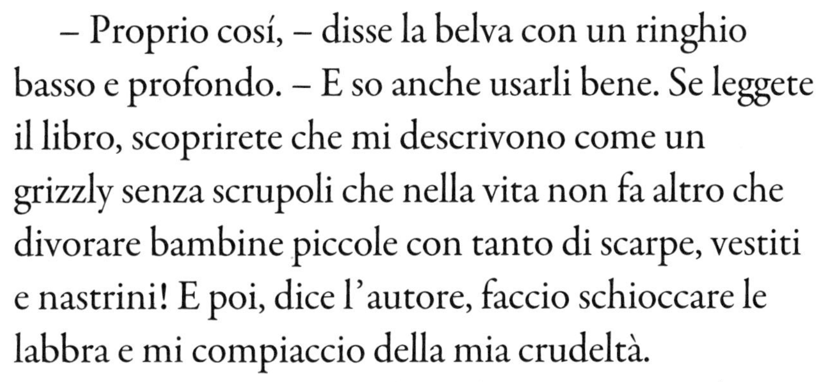

– Proprio cosí, – disse la belva con un ringhio basso e profondo. – E so anche usarli bene. Se leggete il libro, scoprirete che mi descrivono come un grizzly senza scrupoli che nella vita non fa altro che divorare bambine piccole con tanto di scarpe, vestiti e nastrini! E poi, dice l'autore, faccio schioccare le labbra e mi compiaccio della mia crudeltà.

– Ma è terribile! – esclamò l'asino scuotendo tristemente la testa seduto sulle zampe posteriori. – Secondo te che cosa aveva in testa lo scrittore per farti cosí affamato di bambine piccole? Mangi anche animali?

– L'autore parla solo di bambine, – rispose l'orso.

– Ottimo, – commentò il pagliaccio traendo un lungo sospiro di sollievo. – Puoi cominciare a mangiare Jane Gladys quando credi. Ha riso perché non ho la schiena.

– E ha riso anche perché le mie zampe non sono in prospettiva, – ragliò l'asino.

– Ma anche voi meritate di essere sbranati, –

strillò il leopardo dallo schienale della poltrona in pelle. – Avete riso e mi avete preso in giro perché non ho né artigli né denti! Signor grizzly, non pensate di poter riuscire a mangiare un pagliaccio, un asino e una scimmia quando avrete finito con la ragazzina?

– Magari, con un leopardo per contorno, – ringhiò l'orso. – Dipende da quanta fame ho. Ma devo cominciare comunque dalla ragazzina, perché l'autore dice che le bambine piccole sono il mio cibo preferito.

Terrorizzata da quella conversazione, Jane Gladys cominciò a capire che cosa intendesse l'ometto quando aveva detto che le stava regalando quel libro per vendetta. Di certo il papà avrebbe rimpianto di non aver comprato l'Opera completa di Peter Smith quando fosse tornato a casa e avesse trovato la sua piccolina divorata da un orso grizzly con tanto di scarpe, vestiti e nastrini!

L'orso si erse in tutta la sua statura tenendosi in equilibrio sulle zampe posteriori. – Cosí mi hanno

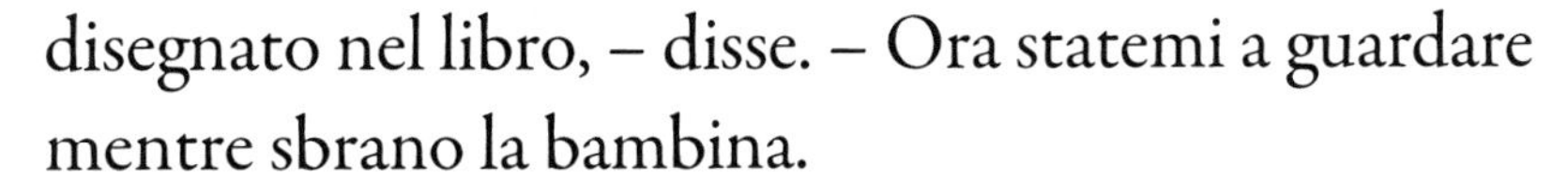

disegnato nel libro, – disse. – Ora statemi a guardare mentre sbrano la bambina.

La belva avanzò piano verso Jane Gladys mentre la scimmia, il leopardo, l'asino e il pagliaccio, formato un cerchio tutt'intorno, osservavano la scena con grande interesse. Ma prima che il grizzly riuscisse a raggiungerla, la bambina ebbe una folgorazione ed esclamò: – Alt! Non puoi mangiarmi: sarebbe sbagliato.

– Perché? – domandò l'orso stupito.

– Perché tu mi appartieni. Sei di mia proprietà, – rispose lei.

– Non capisco come tu possa affermarlo, – disse il grizzly in tono deluso.

– Oh, il libro mi è stato regalato, sulla prima pagina è scritto il mio nome, e tu fai parte del libro. Quindi non puoi mangiare la tua padrona!

L'orso esitò. – Qualcuno di voi sa leggere? – chiese.

– Io, – rispose il pagliaccio.

– Allora controlla se quel che la bambina dice è vero. Sul libro è davvero scritto il suo nome?

Il pagliaccio prese il volume e osservò l'intestazione. – Sí, – disse, – Jane Gladys Brown. È il suo nome scritto a lettere grandi e leggibili.

L'orso sospirò. – Allora è ovvio che non posso mangiarla, – concluse. – Questo scrittore è veramente una delusione, come quasi tutti i suoi colleghi, del resto.

– Ma di certo è migliore dell'artista, – esclamò l'asino, che stava ancora cercando di rimettersi in piedi.

– La colpa è vostra, – disse Jane Gladys, severa. – Perché non siete rimasti nel libro dove vi avevano messo?

Gli animali si scambiarono uno sguardo sbalordito e il pagliaccio arrossí sotto il cerone bianco.

– Ma insomma, – esordí l'orso, ammutolendosi subito dopo perché il campanello di casa aveva squillato forte.

– È la mamma! – gridò la bambina balzando in piedi. – Finalmente è arrivata. E adesso voi stupide creature...

Ma prima che finisse di parlare tutti si erano già precipitati dentro il libro. Si udirono un sibilo, un frullo e uno stormire di foglie, e un attimo dopo il volume giaceva sul pavimento come un libro qualsiasi e gli strani compagni di Jane Gladys erano tutti spariti.

Questa storia dovrebbe insegnarci a riflettere in fretta e con intelligenza in ogni occasione, perché se Jane Gladys non si fosse ricordata di essere la proprietaria del libro, e quindi dell'orso, probabilmente quello l'avrebbe divorata molto prima che il campanello squillasse.

Le due rane

di Andrew Lang

Tanto tempo fa in Giappone vivevano due rane, e mentre una aveva preso casa in un fosso nei pressi della città di Osaka, sulla costa orientale, l'altra dimorava in un limpido ruscello che attraversava la città di Kyoto. Vivendo in luoghi cosí distanti, le due rane non avevano mai sentito parlare l'una dell'altra, ma, fatto strano, l'idea di partire a esplorare il mondo venne loro in mente nello stesso istante, e quella che abitava a Kyoto decise di visitare Osaka, mentre quella che abitava

a Osaka pensò di andare a Kyoto, dove sorgeva il palazzo del grande Mikado.

Cosí in un bel giorno di primavera le due rane si misero in viaggio sulla strada che portava da Kyoto a Osaka partendo una da un capo e una dall'altro. Il cammino fu piú stancante di quanto avessero previsto, perché in effetti le due rane non se ne intendevano granché di viaggi, e a metà strada fra le due città si trovarono davanti una montagna da valicare.

Per arrampicarsi fino in cima gli ci vollero un bel po' di tempo e di alti balzi, ma alla fine ci riuscirono. E immaginate quale fu la loro sorpresa trovandosi di fronte un'altra rana! I due animali si guardarono per un istante senza parlare, poi iniziarono una lunga conversazione per capire come avessero fatto a incontrarsi cosí lontano dalla propria casa. Fu elettrizzante scoprire che entrambe avevano provato il medesimo desiderio: quello di imparare qualcosa di piú sul proprio Paese. E, dato che nessuna delle due aveva fretta, si misero comode in un bel posticino fresco e umido e decisero di riposarsi per bene prima di separarsi per proseguire il cammino.

– Peccato che non siamo un po' piú alte, – disse la rana di Osaka. – Se lo fossimo, da quassú potremmo vedere tutte e due le città e capire se vale la pena di continuare il viaggio.

– Be', e che ci vuole? – rispose la rana di Kyoto. – Dobbiamo solo alzarci in piedi sulle zampe posteriori e appoggiarci l'una all'altra, cosí ciascuna di noi potrà osservare la città che vuole visitare.

Alla rana di Osaka quell'idea piacque tanto che subito balzò in piedi e appoggiò le zampe anteriori alle spalle della compagna, che si era messa a sua volta in piedi. Le due si allungarono piú che poterono reggendosi forte l'una all'altra per non cadere.

La rana di Kyoto volse il naso verso Osaka e quella di Osaka lo volse verso Kyoto, ma quelle povere sciocche avevano dimenticato che, quando si alzavano in piedi, i loro grossi occhi restavano sulla parte posteriore della testa. Perciò anche se avevano il

naso rivolto verso il luogo in cui desideravano andare i loro occhi guardavano la città da cui erano venute.

– Povera me! – esclamò la rana di Osaka. – Kyoto è identica a Osaka. Non vale la pena di affrontare un viaggio cosí lungo. Me ne torno a casa!

– Se solo avessi immaginato che Osaka non è altro che una copia di Kyoto, non sarei mai venuta fin qui, – esclamò la rana di Kyoto, che mentre parlava aveva tolto le mani dalle spalle dell'amica ed era ricaduta sull'erba assieme a lei. Cosí le due si accomiatarono e s'incamminarono verso casa, e fino alla fine dei loro giorni furono convinte che Osaka e Kyoto, due città completamente diverse l'una dall'altra, fossero uguali come due gocce d'acqua.

La pelle del rinoceronte

di Rudyard Kipling

I parsi sono i membri di una setta religiosa diffusa soprattutto in India, anche se il loro culto nacque in Persia (l'odierno Iran).

C'era una volta, su un'isola disabitata al largo del Mar Rosso, un parsi con un cappello che rifletteva i raggi del sole. Il parsi viveva sulla sponda del mare e non aveva altro che il suo copricapo, un coltello e un fornello per

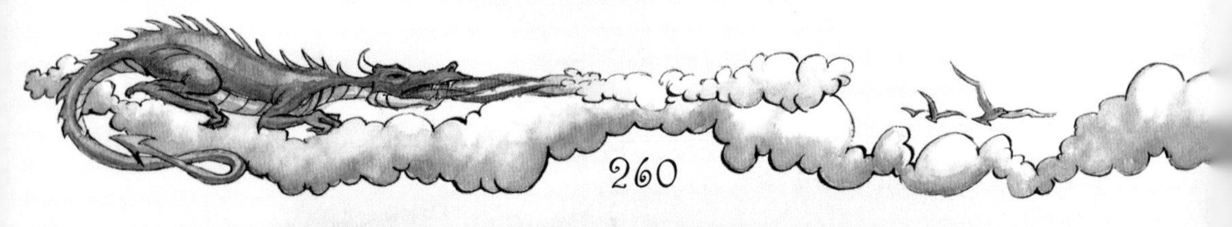

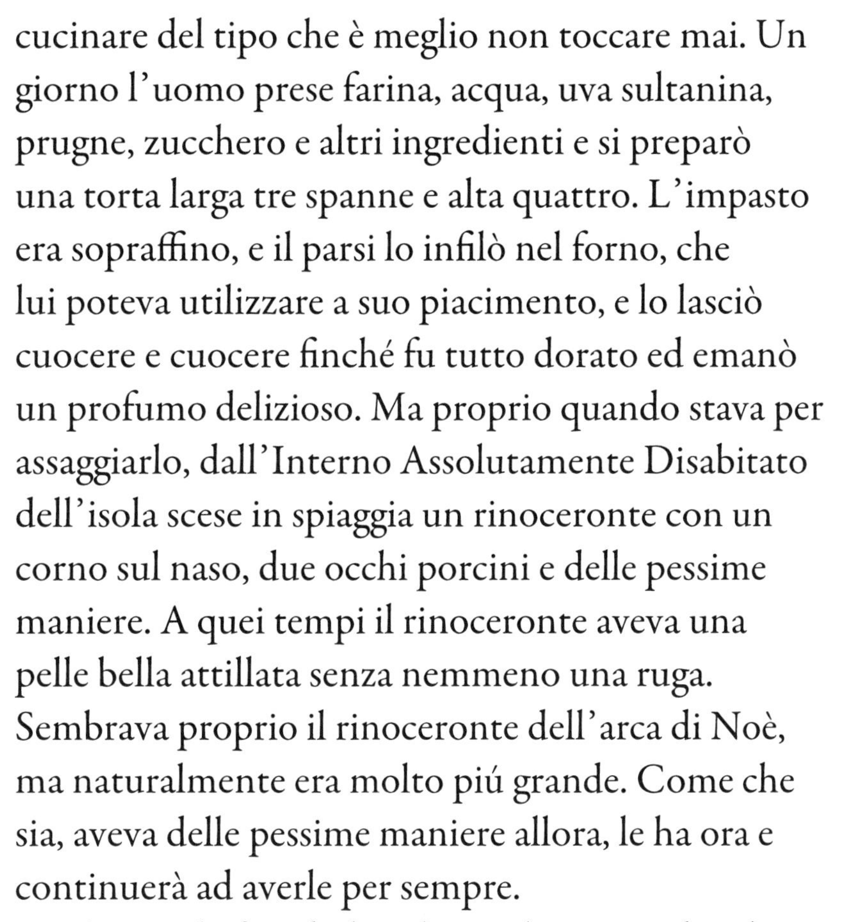

cucinare del tipo che è meglio non toccare mai. Un giorno l'uomo prese farina, acqua, uva sultanina, prugne, zucchero e altri ingredienti e si preparò una torta larga tre spanne e alta quattro. L'impasto era sopraffino, e il parsi lo infilò nel forno, che lui poteva utilizzare a suo piacimento, e lo lasciò cuocere e cuocere finché fu tutto dorato ed emanò un profumo delizioso. Ma proprio quando stava per assaggiarlo, dall'Interno Assolutamente Disabitato dell'isola scese in spiaggia un rinoceronte con un corno sul naso, due occhi porcini e delle pessime maniere. A quei tempi il rinoceronte aveva una pelle bella attillata senza nemmeno una ruga. Sembrava proprio il rinoceronte dell'arca di Noè, ma naturalmente era molto piú grande. Come che sia, aveva delle pessime maniere allora, le ha ora e continuerà ad averle per sempre.

L'animale fece *buh!* e il parsi lasciò perdere la torta e si arrampicò in cima a una palma portando con sé solo il suo cappello, che continuava a riflettere i raggi del sole. Il rinoceronte rovesciò il fornello a petrolio con il naso e la torta ruzzolò sulla sabbia. Allora lui la infilzò con il corno che aveva sul grugno, la mangiò e se ne tornò scodinzolando nell'Interno Assolutamente Disabitato che si trova nei pressi delle isole di Mazandaran e di Socotra e vicino ai promontori dell'Equinozio Maggiore.

A quel punto il parsi scese giú dalla palma, rimise in piedi il fornello e recitò una poesia. Dato che voi non l'avete sentita, la trascriverò qui sotto:

Se la torta tu hai rubato
che io avevo cucinato,
questo errore va pagato.

E questi versi avevano un potere molto piú grande di quanto possiate immaginare. Infatti, cinque settimane dopo sul Mar Rosso si abbatté un'ondata di calore e tutti si tolsero i vestiti che avevano addosso. Il parsi si levò il cappello, e il rinoceronte si spogliò della sua pelle e se la mise in spalla scendendo in spiaggia a fare il bagno. A quei tempi la pelle del rinoceronte si abbottonava di sotto con tre bottoni come un impermeabile. L'animale non disse nulla riguardo alla torta del parsi, perché l'aveva mangiata tutta e perché aveva delle pessime maniere allora come le ha ora e le avrà per sempre. Lasciata la pelle sulla spiaggia, entrò subito in acqua con il suo passo ballonzolante e soffiò bolle dal naso.

In quel mentre il parsi passò di là e, trovata la pelle, fece un sorriso a trentadue denti o anche di piú, poi danzò tre volte intorno alla pelle e si fregò le mani. Dopodiché andò alla sua tenda e riempí il cappello di briciole di torta, perché il parsi non mangiava altro che torte e non spazzava mai per terra. Presa la pelle, la scosse, la raschiò e la strofinò finché non fu piena zeppa di briciole di torta stantia, secca e polverosa e di uvetta bruciata. Alla fine si arrampicò in cima alla palma e aspettò che il rinoceronte uscisse dall'acqua e si rivestisse.

Quando il rinoceronte chiuse i tre bottoni, avvertí un prurito simile a quello provocato dalle briciole nel letto. Allora ebbe il desiderio di grattarsi, ma questo non fece che peggiorare le cose. Cosí si stese sulla sabbia e vi si rotolò, ma a ogni giro le briciole di torta prudevano sempre di piú, sicché l'animale corse verso la palma e si strofinò e si strofinò contro il legno. Si strofinò cosí tanto e cosí forte che gli si formò una grossa ruga sulle spalle e una piú sotto, dove c'erano i bottoni (che a quel punto erano saltati via), e altre ne spuntarono sulle zampe. Tutto questo gli guastò l'umore, cosa che però non fece la minima differenza, perché le briciole restarono fra le pieghe della sua pelle e continuarono a fargli il solletico. Allora il rinoceronte tornò a casa infuriato e terribilmente insofferente a causa del prurito.

Da quel giorno in poi ha avuto grandi rughe e un

pessimo carattere, e tutto a causa delle briciole di torta incastrate nelle pieghe della pelle.

Invece il parsi scese dalla palma con in testa il cappello che rifletteva i raggi del sole, prese il suo fornello e si incamminò verso Orotavo, di Amygdala, delle praterie dell'Altopiano di Anantarivo e delle Paludi di Sonaput.

I sette capretti

dei fratelli Grimm

C'era una volta una capra che aveva sette capretti e gli voleva un gran bene, come ogni madre ne vuole ai suoi figli. Un giorno, dovendo recarsi nella foresta a far provviste, radunò tutti i suoi piccoli intorno a sé.

– Cari piccini, devo andare nel bosco, – disse. – Mentre sarò via, guardatevi dal lupo, perché se riuscisse a entrare in casa vi mangerebbe in un sol boccone con la pelle, le ossa e tutto il resto. Quel

miserabile si traveste spesso, ma lo riconoscerete comunque dalla voce roca e dalle zampe nere.

– Mamma, non temere, staremo attenti, – risposero i capretti. Allora la madre rivolse loro un belato di saluto e si avviò fiduciosa.

Poco dopo qualcuno bussò alla porta gridando: – Apritemi, cari piccini, vostra madre è tornata a casa e ha portato qualcosa per ciascuno di voi.

Ma dalla voce roca i capretti capirono che era il lupo.

– No, che non ti apriamo, – urlarono, – tu non sei la nostra mamma, perché lei ha una voce dolce e soave mentre la tua è rauca... Tu devi essere il lupo!

Allora il lupo andò in una bottega e comprò un grosso pezzo di gesso che mangiò per addolcirsi la voce. Poi tornò indietro, bussò alla porta e strillò: – Apritemi, cari piccini, vostra madre è qui e ha portato qualcosa per ciascuno di voi.

Ma la belva aveva appoggiato le sue zampe nere alla finestra e quando i capretti le videro urlarono:

– No, che non ti apriamo: nostra madre mica ha le zampe nere come te... Tu devi essere il lupo!

Allora il lupo corse in una panetteria.

– Fornaio, – disse, – mi sono fatto male ai piedi: per favore, spalmaci sopra un po' di pasta di pane.

E, dopo che il fornaio gli ebbe cosparso i piedi di pasta fresca, il lupo corse fino a un mulino.

– Mugnaio, – disse, – spargimi un po' di farina bianca sulle zampe. Ma immaginando che il lupo avesse intenzione di fare del male a qualcuno, il mugnaio si rifiutò.

– Se non lo fai, – gridò il lupo, – ti mangio in un sol boccone.

Allora il mugnaio ebbe paura e fece quel che l'animale gli aveva chiesto, perché cosí sono fatti gli uomini.

A quel punto il lupo tornò alla casa dei capretti per la terza volta e bussò alla porta. – Apritemi, piccini! – strillò. – La vostra cara mamma è tornata a casa e ha portato qualcosa dal bosco per ciascuno di voi.

– Prima mostraci le tue zampe, – dissero i capretti, – vogliamo vedere se sei davvero la nostra mamma oppure no.

Il lupo appoggiò le zampe alla finestra e quando i capretti videro che erano bianche si convinsero che fosse la loro mamma e aprirono la porta per farla entrare. Ma non appena tolsero il chiavistello e videro il lupo irrompere in casa, subito andarono a nascondersi terrorizzati.

Il primo corse sotto il tavolo, il secondo s'infilò nel letto, il terzo nel forno, il quarto in cucina, il quinto nella credenza, il sesto sotto l'acquaio e il settimo nella cassa dell'orologio a pendolo. Ma il lupo cercò dovunque e li scovò.

Uno dopo l'altro, li ingoiò tutti tranne il piú piccolo, quello che era andato a nascondersi nell'orologio a pendolo. Cosí, ottenuto quel che voleva, l'animale si incamminò lemme lemme sul verde prato e, sdraiatosi sotto un albero, si addormentò.

Dopo poco mamma capra tornò dal bosco e... Oh! Che orrendo spettacolo le toccò vedere! La porta di casa era spalancata e tavolo, sedie e sgabelli erano tutti sparsi alla rinfusa nella stanza fra piatti rotti, cuscini e trapunte strappati via dal letto. La poverina cercò i suoi piccoli, ma non li trovò da nessuna parte. E quando li chiamò per nome nessuno rispose finché non arrivò all'ultimo.

– Eccomi, mamma, – strillò una vocina, – sono nella cassa dell'orologio a pendolo.

La madre aiutò il piccolo a uscire e lui le raccontò che il lupo era arrivato e aveva mangiato tutti i suoi fratellini. Immaginate quanto pianse la capra per i suoi cari piccini. Alla fine, profondamente addolorata, uscí di casa seguita dal capretto, e quando i due giunsero sul prato videro il lupo che, sdraiato sotto un albero, russava cosí forte da scuoterne i rami. Mamma capra lo osservò con attenzione da ogni lato e si accorse che, dentro il suo corpo, qualcosa si muoveva e si dimenava.

«Accipicchia! – pensò, – può essere che i miei figli siano ancora vivi dopo che il lupo li ha divorati per cena?» Allora mandò il piccolino a casa a prendere un paio di forbici, un ago e un po' di filo, dopodiché aprí la pancia della belva, e al primo taglietto i sei caprettini balzarono fuori l'uno dopo l'altro vivi e vegeti, perché quel furfante era stato tanto ingordo da inghiottirli senza nemmeno masticarli. Che gioia fu quella! Cosí i piccoli consolarono la madre saltellandole intorno contenti.

– Ora andate a prendere delle belle pietre dure, – disse la capra. – Le useremo per riempirgli la pancia mentre dorme.

Allora i capretti si affrettarono a recuperare i sassi e a infilarli nella pancia del lupo, che poi la mamma richiuse in un battibaleno, senza che la belva avesse il tempo di accorgersene.

Quando infine l'animale si svegliò e si alzò in piedi, le pietre che aveva nella pancia gli fecero venire una gran sete. Ma mentre camminava verso il ruscello per bere, i sassi presero a cozzare l'uno contro l'altro con gran fracasso. Allora lui urlò:

Ho la pancia tanto piena
che mi preme sulla schiena.
I capretti a colazione
fan venir l'indigestione.

Quando poi giunse al ruscello e si chinò per bere, i pesanti massi gli fecero perdere l'equilibrio e lui precipitò in acqua e affogò. A quella vista, i sette capretti corsero dalla madre.

– Il lupo è morto, il lupo è morto! – gridavano, e ballarono di gioia tutt'intorno assieme a mamma capra.

Lo scimmiotto sagace e il cinghiale

di Yei Theodora Ozaki

Tanto, tanto tempo fa, nella provincia giapponese dello Shinshin, un ambulante si guadagnava da vivere portando in giro uno scimmiotto e facendolo esibire in una serie di numeri da circo. Una sera l'uomo tornò a casa di pessimo umore e disse alla moglie di far venire il macellaio l'indomani stesso di prima mattina.

La moglie rimase di stucco e gli chiese: – Perché vuoi che faccia venire il macellaio?

– Portare in giro quello scimmiotto non serve piú a niente: è diventato troppo vecchio e si dimentica i numeri. Io lo percuoto con il bastone con tutta la forza che ho nelle braccia, ma lui non danza mai come si deve. Voglio venderlo al macellaio per ricavarne il poco che vale. Non c'è nient'altro da fare.

La donna si dispiacque molto per la povera bestiola e implorò il marito di risparmiarle la vita, ma tutte le sue preghiere furono vane, perché l'uomo era deciso a vendere lo scimmiotto al macellaio.

In tutto quel tempo la scimmia era rimasta nella stanza accanto e aveva sentito ogni parola della conversazione. Avendo capito fin da subito che sarebbe stato ucciso, l'animale si disse: «Il mio padrone è proprio crudele! In tutti questi anni l'ho sempre servito con lealtà e, invece di concedermi di finire i miei giorni in pace e tranquillità, lui mi fa squartare dal macellaio, cosí le mie povere membra saranno arrostite, bollite e mangiate! Povero me! Che cosa posso fare? Ah! Mi è venuta una grande idea! Nella foresta vicina vive un cinghiale selvaggio, e spesso ho sentito parlare della sua leggendaria saggezza. Magari se vado da lui e gli racconto tutto per filo e per segno, mi darà un consiglio. Voglio provarci».

Non c'era tempo da perdere, perciò lo scimmiotto uscí di soppiatto dalla casa e corse piú veloce che poté nella foresta in cerca del cinghiale.

Il saggio animale era in casa, e lo scimmiotto cominciò senza indugio a raccontargli la sua triste storia. – Mio buon signor cinghiale, ho sentito molto parlare della vostra immensa saggezza. Sono finito in un grosso guaio. Solo voi potete aiutarmi. Sono diventato vecchio servendo il mio maestro, e ora che non riesco piú a danzare come si deve lui vuole vendermi al macellaio. Che cosa mi consigliate di fare, voi che siete cosí saggio?

Il cinghiale si compiacque di quelle lusinghe e decise di aiutare lo scimmiotto. Cosí, dopo aver riflettuto per un istante, rispose: – Il tuo padrone non ha forse un figlio piccolo?

– Oh, sí, – disse la scimmia, – è appena nato.

– E il bambino non viene lasciato ogni mattina accanto alla porta quando la tua padrona inizia a occuparsi delle faccende quotidiane? Ebbene, io arriverò di buon'ora e non appena ne avrò l'occasione acciufferò il piccolo e scapperò via.

– E poi? – chiese lo scimmiotto.

– Be', la madre uscirà di senno, e prima che il tuo padrone e sua moglie capiscano cosa fare tu dovrai rincorrermi e recuperare il bambino riportandolo sano e salvo a casa da loro. Allora vedrai che quando il macellaio arriverà, non se la sentirà piú di venderti.

Dopo avere ringraziato il cinghiale piú e piú volte, lo scimmiotto tornò a casa. Quella notte, come potete immaginare, la povera bestia non dormí granché al pensiero dell'indomani, perché la sua vita dipendeva dal successo del piano del cinghiale. Fu il primo a svegliarsi, per il nervosismo dell'attesa, e gli sembrò fosse passata un'eternità quando finalmente la moglie del padrone cominciò ad aggirarsi per la casa aprendo le imposte per far entrare la luce del giorno.

Per fortuna, tutto andò come il cinghiale aveva previsto. La madre lasciò come al solito il figlio accanto alla porta mentre rassettava la casa e preparava la prima colazione.

Il bambino gorgheggiava nella luce del

mattino, giocherellando con le ombre che si riflettevano sulla stuoia, quando d'un tratto dal portico giunse un rumore seguito dal forte vagito di un neonato. La madre andò nella stanza sul retro a chiamare il marito che ancora dormiva della grossa e i due uscirono di corsa dalla porta appena in tempo per scorgere il cinghiale che si dileguava assieme al loro figlioletto. Subito dopo videro lo scimmiotto rincorrere il rapitore con tutta la forza che aveva nelle gambe.

L'uomo e sua moglie restarono molto ammirati dal coraggio del sagace scimmiotto, e quando il fedele animale posò tra le loro braccia il piccolo sano e salvo, la gratitudine non ebbe piú confini.

– Ecco! – disse la moglie. – E questo sarebbe l'animale che volevi fare ammazzare: se non fosse stato per lui, avremmo perso nostro figlio per sempre.

– Hai ragione, moglie mia, – replicò l'uomo riportando il bimbo dentro casa. – Non appena arriva il macellaio, puoi rimandarlo indietro. Ora servi una bella colazione a tutti, anche alla scimmia.

Quando il macellaio arrivò, fu rimandato a casa con l'ordine di un pezzo di carne di cinghiale per la cena. Lo scimmiotto fu vezzeggiato per il resto della sua vita, che trascorse in pace e tranquillità senza che il padrone lo picchiasse mai piú.

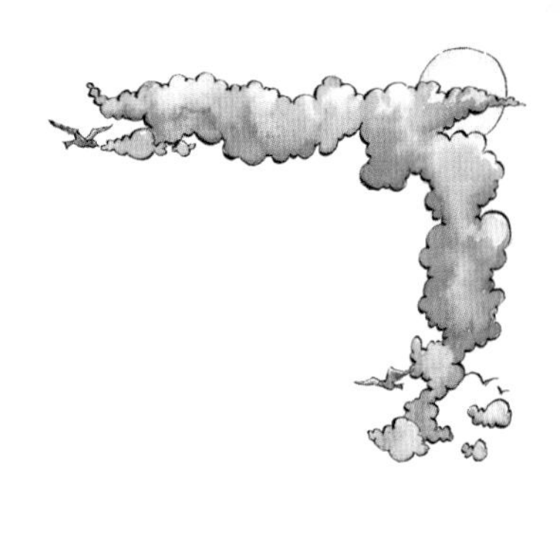

La gobba del cammello

di Rudyard Kipling

All'inizio dei tempi, quando il mondo era ancora nuovo di zecca e tutti gli animali avevano appena cominciato a lavorare per l'uomo, c'era un cammello che viveva nel bel mezzo di un deserto tremendo perché non aveva voglia di fare niente e per giunta era un tipaccio tremendo anche lui. Cosí mangiava sterpi, rovi e tamerici, cardi e altre piante spinose. Era insomma di una pigrizia avvilente, e quando qualcuno gli rivolgeva la parola lui rispondeva: «Bah!». Solo «bah!» e nient'altro.

Un lunedí mattina il cavallo andò da lui con la sella sulla schiena e il morso in bocca e disse: – Cammello, vieni a trottare come tutti noi.

– Bah! – fece il cammello, e il cavallo se ne andò e riferí tutto all'uomo.

Allora andò da lui il cane con un legnetto in bocca e disse: – Cammello, vieni ad acchiappare e a portare indietro le cose come tutti noi.

– Bah! – fece il cammello, e il cane se ne andò e riferí tutto all'uomo.

Poi andò da lui il bue con il giogo sul collo e disse: – Cammello, vieni ad arare come tutti noi.

– Bah! – fece il cammello, e il bue se ne andò e riferí tutto all'uomo.

Sul finire del giorno l'uomo chiamò a raccolta il cavallo, il cane e il bue e li avvertí: – Miei cari amici, sono molto spiacente per voi (con il mondo ancora nuovo di zecca), ma quel tipo che se ne sta

nel deserto e dice solo «bah!» è un buono a nulla, altrimenti a quest'ora sarebbe già venuto. Quindi ho deciso di lasciarlo perdere, e a voi in compenso toccherà lavorare il doppio.

Sentendo queste parole (con il mondo ancora

nuovo di zecca), i tre si infuriarono e tennero un abboccamento, un *indaba*, un *punchayet* e un *pow-wow* ai margini del deserto.

In quel mentre il cammello passò di là masticando un cardo e rise di loro. Poi disse: – Bah! – e sparí un'altra volta.

Arrivò allora il genio che custodisce tutti i deserti avvolto in una nube di polvere rotolante (i geni viaggiano sempre in questo modo, perché è una magia), e si fermò a parlamentare con i tre.

– Genio di tutti i deserti, – disse il cavallo, – è giusto che qualcuno sia pigro con il mondo ancora nuovo di zecca?

– Certo che no, – rispose il genio.

– Be', – continuò il cavallo, – c'è un animale nel bel mezzo del tuo tremendo deserto (e anche lui è un tipaccio tremendo) che ha un lungo collo e zampe lunghissime, e da lunedí mattina non ha mai alzato un dito. Si rifiuta perfino di trottare.

– Ohibò! – esclamò il genio, sorpreso. – Per

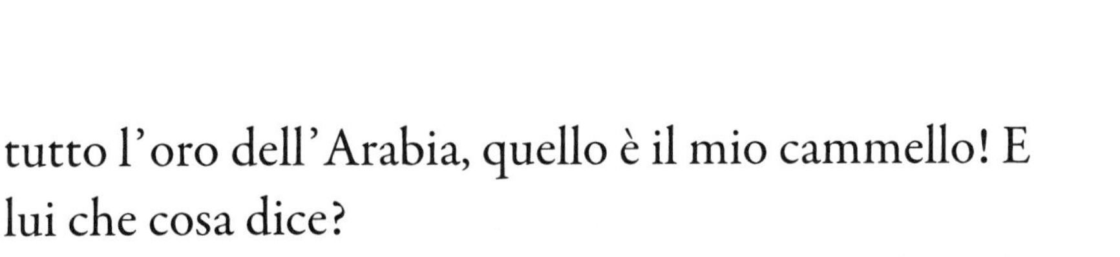

tutto l'oro dell'Arabia, quello è il mio cammello! E lui che cosa dice?

– Dice «bah!», – rispose il cane, – e si rifiuta di acchiappare e portare indietro le cose.

– E dice qualcos'altro?

– Solo «bah!» e si rifiuta di arare, – ribatté il bue.

– Molto bene, – disse il genio. – Se avrete la pazienza di aspettare un minuto, lo farò sgobbare io.

Il genio si avvolse nella sua nube di polvere e, perlustrato il deserto, trovò il cammello che ammirava la propria immagine riflessa in una pozza d'acqua.

– Mio lungo amico fanfarone, – disse il genio, – ho sentito che non hai mosso un dito con il mondo ancora nuovo di zecca: è vero?

– Bah! – rispose il cammello.

Il genio si sedette con il mento fra le mani e prese a escogitare un grande incantesimo mentre il cammello ammirava la sua immagine riflessa nella pozza d'acqua. – Da lunedí mattina hai costretto quei tre a lavorare il doppio per colpa della tua pigrizia, – lo rimproverò il genio continuando a meditare sulle sue parole magiche con il mento fra le mani.

– Bah! – fece il cammello.

– Non lo ripeterei se fossi in te, – lo avvertí il genio. – Rischi di dirlo una volta di troppo. Fanfarone, voglio che lavori.

Il cammello disse ancora una volta: – Bah! – ma subito vide la sua schiena, di cui andava cosí fiero, gonfiarsi e gonfiarsi fino a formare una grossa gob-bah traballante.

– Hai visto? – chiese il genio. – Questa gob-

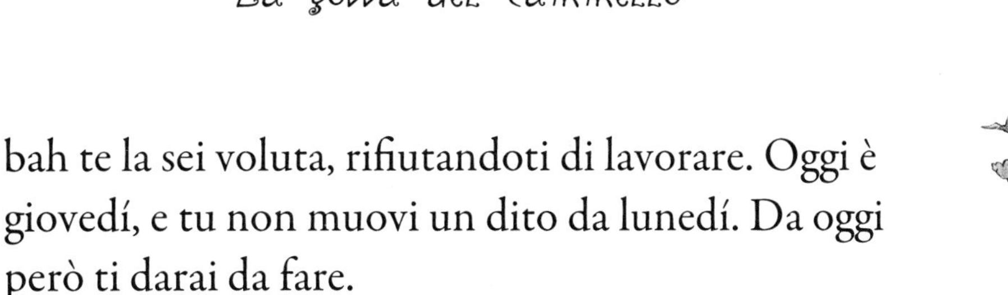

bah te la sei voluta, rifiutandoti di lavorare. Oggi è giovedí, e tu non muovi un dito da lunedí. Da oggi però ti darai da fare.

– E come faccio con questa gob-bah sulla schiena? – domandò il cammello.

– È fatta apposta, – disse il genio. – Dal momento che hai perso questi tre giorni, ora potrai lavorare per tre giorni senza mangiare, vivendo con le riserve della tua gob-bah. E non sognarti di dire che non ho fatto niente per te. Allontanati dal deserto, va' da quei tre e comportati bene. E vedi di sgobbare!

Cosí il cammello se ne andò dai tre nonostante la gob-bah e sgobbò un bel po'. E da quel giorno in poi il cammello ha sempre avuto la gob-bah (che noi ora chiamiamo «gobba» per non urtare i suoi sentimenti), ma non è ancora riuscito a recuperare i tre giorni di lavoro che ha perso all'inizio dei tempi e non ha neanche imparato a comportarsi bene.

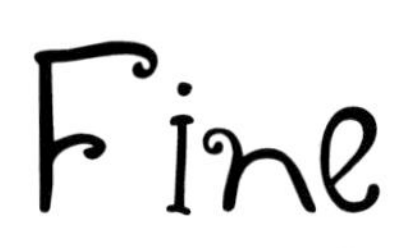

Finito di stampare nel mese di marzo 2015
per conto delle Edizioni EL
presso G. Canale & C. S.p.A., Borgaro Torinese (To)